invitaciones deliciosas

agradecimientos

Me gustaría dar las gracias a Anne Wilson, Catie Ziller, Mark Smith, Mark Newman y a todo el equipo de Murdoch Books por brindarme esta oportunidad y por su apoyo; a Matt Handbury, director de una compañía diferente y dinámica, por permitirme realizar este libro; a Jackie Frank por su dedicación a *Marie Claire*; a Petrina por su compromiso con la perfección, por crear unas imágenes tan bellas y por reírse de mis chistes; a Michèle por su talento para el diseño y por su infinita paciencia; a Rowena por dar estilo a mis palabras, por su paciencia y por lograr que me ciñera a un programa estricto, lo cual es una gran hazaña; a mi compañero Billy, que ya ha sobrevivido a dos de mis libros, por su apoyo incondicional y soportar mi malhumor y mis momentos difíciles durante la preparación del libro; a Jody, una estupenda amiga y colega sin la cual simplemente no podría funcionar, por su inmensa confianza; a Michaela por seguir probando las recetas, por las largas jornadas de preparación de los platos durante las sesiones fotográficas y por su colaboración como modelo; a Con y a Nadine porque además de ser asistentes de fotografía se convirtieron en modelos suplentes y nos sumunistraron el café necesario; a Paula por hacer lo imposible para cumplir mis demandas, a veces un tanto extrañas; y a mi familia por su apoyo y comprensión.

créditos

La autora desea agradecer a las siguientes personas y organizaciones su generosidad al suministrar los objetos y productos que aparecen en el libro: Anticos Fruitworld, Northbridge, Sydney; Demcos Seafood Providores, Alexandria, Sydney; Simon Johnson Purveyor of Quality Foods, Sydney y Melbourne; Georges Department Store, The Conran Shop, Melbourne; Country Road Homewares; Country Road Women's Clothing; Breville Appliances; Empire Homewares, Darlinghurst, Sydney; Orrefors Kosta Boda; Hamish Clark Antiques, Woollahra, Sydney; E.P. Manchester; Brisbane, Dinosaur Designs, Sydney y Melbourne; Camargue Mosman, Sydney; Orson & Blake Homewares, Woollahra, Sydney; The Bay Tree, Woollhara, Sydney; Tea Two, Melbourne; Ventura Designs for Alessi; Grinders Coffee, Australia; Pam Harvey (Grant's Mum) por tejer la funda ("Fluffy") para la tetera; Ellie Ellis por permitirme utilizar piezas heredadas de su familia como decoración; Rachel Blackmore por las telas para forrar los cestos; Peter Tinslay por los hermosos libros antiguos; Chris por las vaporeras de bambú de Hong Kong.

Publicado por Murdoch Books®, una división de Murdoch Magazines Pty Ltd 45 Jones Street, Ultimo NSW 2007, Australia

© Texto Donna Hay, 1998
© Diseño y fotografía Murdoch Books®, 1998

Recetas y presentación: Donna Hay
Fotografía: Petrina Tinsley
Diseño: Michèle Lichtenberger
Editora: Rowena Lennox

Título original: *Dining*

© 2000 de la edición española: Könemann Verlagsgesellschaft mbH, Bonner Str. 126, D-50968 Colonia
Traducción del inglés: Montserrat Ribas para Equipo de Edición S.L., Barcelona
Redacción y maquetación: Equipo de Edición S.L., Barcelona
Coordinación del proyecto: Virtudes Mayayo
Producción: Ursula Schümer
Impresión y encuadernación: Impremerie Jean Lamour, Maxéville

Impreso en Francia/Printed in France
ISBN 3-8290-6008-4
10 9 8 7 6 5 4 3 2 1

invitaciones deliciosas

donna hay

fotografías de
petrina tinslay

KÖNEMANN

sumario

introducción

Compartir una comida, un vino, una buena conversación
y algunas risas con amigos es uno de los momentos más
agradables y divertidos. Con frecuencia se acumulan
fantásticos recuerdos alrededor de una mesa llena de deliciosa
comida y bebida.

Las recetas de este libro van desde soluciones sencillas pero
con estilo para una cena de fin de semana, hasta platos para
cenas más formales. En él encontrará información sobre la
planificación de menús y la selección de vinos, así como todos
los elementos básicos para realizar cualquier comida. *Las
cenas* ofrece recetas de comida con ideas muy innovadoras,
así como sugerencias refrescantes para bebidas. En cada
capítulo de esta obra hallará ideas para menús, pero también
es importante que se sienta libre para crear sus propias
recetas.

En el glosario encontrará información suplementaria sobre
los ingredientes, los términos culinarios y las recetas básicas
que aparecen señalados con un asterisco (*) en el texto.

menús

Confeccionar un menú es fácil. Si sigue algunas directrices sencillas, podrá escoger alimentos que se complementen y que juntos conformen una solución completa para una comida.

Evite la repetición de sabores, así como las recetas e ingredientes basados en la nata líquida. Por ejemplo, si elige una ensalada de pollo tailandesa como primer plato, no sirva una pechuga de pollo con especias a la parrilla como plato principal. Igualmente evite repetir maneras de cocción, como por ejemplo el rebozado, ya que harían que la comida resultara demasiado pesada.

planificación de un menú

La coherencia es importante en un menú. Si elige una comida oriental condimentada con guindillas, hierbas frescas asiáticas y lima, evite el chocolate como postre, y sirva, por ejemplo, un sorbete de manzana verde y lima o unos mangos a la parrilla.

Como guía, sirva primero los alimentos más ligeros. Con ello no quiero decir que no puedan tener un sabor intenso, sino aquellos que no son demasiado pesados ni complejos. Un primer plato muy complicado y abundante seguido por un plato principal de estilo similar puede resultar un poco fuerte para el estómago. Es mejor servir un entrante de sabor sencillo, seguido por un plato principal más completo. Los sabores tienen que ir en aumento y fluir durante toda la comida. Si a los comensales les gustan las comidas fuertes, siempre puede variar un poco esta directriz.

Los alimentos que escoja y la forma de presentarlos deberían seguir la misma línea que la cena que haya decidido ofrecer. Por ejemplo, un banquete oriental a base de delicados platitos variados al vapor, que se compartirán entre todos, resultará menos formal que una comida de 3 ó 4 platos. Para ello puede colocar una mesa auxiliar con los alimentos de manera que los invitados puedan ir sirviéndose ellos mismos. También puede poner bandejas y cuencos grandes en la mesa principal para que los comensales puedan escoger los alimentos y tomar las cantidades que deseen.

éxito al servir

Unas cuantas sugerencias a la hora de servir pueden asegurar el éxito de sus comidas.

Para evitar que las comidas calientes se enfríen, es aconsejable calentar los platos antes de servir. Si en verano prepara helado o sorbete, ponga los cuencos o platos en la nevera un rato antes de usarlos.

Recuerde que tiene que cambiar las copas de vino si decide abrir una botella diferente. Los residuos del vino anterior podrían estropear el nuevo sabor.

Si la comida es formal y decide usted mismo la colocación en la mesa de los invitados, utilice unas tarjetas con los nombres de cada comensal y sitúelas en el lugar correspondiente.

Sirva unas bebidas y algo para picar a sus invitados en cuanto lleguen. Esto les ayudará a relajarse y a sentirse cómodos.

Sean cuales sean las bebidas que sirva, ponga vasos de agua en la mesa.

Si sirve marisco con caparazón, coloque unos cuencos en la mesa para que los invitados puedan dejar las conchas; asimismo, ponga otros cuencos llenos de agua, acompañados de toallitas calientes, para que los invitados se puedan lavar las manos.

el tiempo es fundamental

Compre los alimentos secos y los que se conserven como mínimo el día anterior a la comida. Compre las verduras, la carne y el pescado o marisco el mismo día.

Cuando planifique el menú, escoja algunos platos que pueda preparar con antelación. Si prepara el postre o parte del primer plato antes, ayudará a que la comida se desarrolle tranquilamente y que usted tenga tiempo para disfrutar.

Recuerde que debe poner el vino, el agua y otras bebidas en la nevera o con hielo con tiempo suficiente.

Ponga la mesa con la cubertería, servilletas, platos auxiliares, vasos o copas, utensilios para servir, sal y pimienta, condimentos y cualquier otra cosa que precise antes de que lleguen los invitados. En cuanto a los cubiertos, sitúe el del entrante en la parte más alejada del plato y vaya colocando los siguientes hacia el interior. Los platitos para el pan deben ir a la parte izquierda del plato y los vasos o copas de vino frente al plato, a la derecha.

Recuerde reservar tiempo suficiente para arreglarse antes de que los invitados llamen a la puerta.

vinos

comida y vino

Cuando escoja un vino para acompañar su comida, tenga presente que con una simple palabra, por ejemplo ensalada, describimos muchos niveles diferentes de sabores. Una ensalada puede tener un sabor suave si se compone de hojas verdes y perifollo con un aliño ligero y un huevo de codorniz, o puede ser una combinación de sabores fuertes si consiste en rodajas de hinojo asadas, tomates asados al horno, aceitunas adobadas y queso haloumi frito con un suculento aliño balsámico. Los vinos que escogería para estas ensaladas serían bien distintos. Observe las siguientes recomendaciones generales. Planifique los alimentos que va a servir junto con los vinos. Sirva el vino antes de la comida para que sus invitados puedan probarlo antes de añadir el sabor de la comida a sus paladares. No existen reglas inflexibles sobre la elección de vinos. Pruebe distintas combinaciones y recuerde que existen muchos sabores diferentes dentro de un mismo tipo, como por ejemplo el sauvignon blanco. La elección del vino es algo personal: ¡atrévase!

blancos

SEMILLON

Varía de color según la época en que se vendimió la uva y la edad del vino. El semillon se embotella como dos vinos diferentes. Las uvas que se recolectan maduras, con sabor a hierba y a cítricos, dan un vino joven que llena la boca de sabores frescos, y por lo general se puede beber al cabo de uno o dos años de la cosecha. El semillon joven también se mezcla con sauvignon blanco y chardonnay. Las uvas para semillon que se recolectan temprano, un poco verdes, al principio presentan un sabor bastante suave, pero con los años el vino desprende un aroma de miel y vainilla y alcanza un sabor más fuerte que recuerda a las nueces. Recomendaciones generales: pescado, aves, cerdo, conejo, verduras y ensaladas.

SAUVIGNON BLANCO

Un vino seco y tonificante, de color paja pálido, que tiene gran variedad de sabores, desde la hierba recién cortada hasta los espárragos y las frutas tropicales. Un buen sauvignon blanco debería dar una sensación fresca, casi fría, y tener un sabor vivo que despierte el paladar. Recomendaciones generales: ensaladas, verduras, comida oriental (por ejemplo tailandesa, vietnamita, china y malaya) y salmón ahumado.

CHARDONNAY

Un vino robusto y de buen cuerpo, que tiene una gama de sabores que recuerdan al melón y al melocotón cuando es joven; si tiene cierta edad resulta más mantecoso, con sabor a higos y miel. El chardonnay muchas veces envejece en barriles de madera, como el roble. Si el vino "no ha pasado por la madera", su sabor es menos intenso. Recomendaciones generales: ensaladas, verduras, carnes blancas y pescados de sabor fuerte.

RIESLING

Un vino tonificante y limpio con un sabor ácido a lima o limón que deja la boca fresca y que resulta muy equilibrado. El vino seco tiene un tono verdoso cuando es joven y un aroma floral y cítrico. Si las uvas se recolectan tarde o están infectadas por cepas de botritis, el riesling se convierte en un maravilloso vino de postre. Recomendaciones generales: pescado y marisco, comida china y tailandesa, platos especiados y ensaladas.

CHENIN BLANCO

Con un ligero sabor a cítrico, este sencillo vino ofrece un paladar seco, suave y completo. El chenin blanco es un tipo de vino para tomar sin muchas complicaciones, perfecto para una simple comida a base de pescado. Recomendaciones generales: todo tipo de pescado y marisco y platos ligeramente especiados.

VERDELHO

Este vino tiene una textura que pasa muy bien. Los sabores florales, cítricos y afrutados producen un vino seco con buen cuerpo. Recomendaciones generales: platos de pasta, salsas cremosas, pescado y alimentos fritos.

ESPUMOSO

Una buena manera de empezar una comida; el blanco espumoso refresca la boca y produce un ligero cosquilleo en la lengua. La mayor parte de vinos espumosos se pueden consumir de inmediato; sin embargo, los que son de cosecha deben permanecer en las cavas hasta que su sabor ha madurado. Recomendaciones generales: con los aperitivos que preceden a la comida, pescado o marisco y celebraciones.

copas

Beba el vino en copas diseñadas especialmente para ello, ya que realzan su calidad. Compruebe que el borde superior de las copas se inclina hacia dentro, de manera que al beber el apreciado aroma del vino suba directamente hacia la nariz.

catar el vino

Para empezar, vierta una pequeña cantidad de vino en una copa y observe su color detenidamente: por ejemplo, un tono verdoso en un sauvignon blanco indicará un sabor fresco, quizás a hierba. Si está en buenas condiciones, el vino debería tener un color cristalino y brillante.

A continuación haga girar el vino en la copa, lléveselo a la nariz y huela bien, igual que haría con un buen perfume. Aprenda a reconocer los aromas de vinos diferentes: por ejemplo, un sauvignon blanco con sabor a limón o hierba ofrece un gran contraste con un buen shiraz con aromas de pimienta, bayas y madera.

Ahora tome un sorbo muy pequeño de vino y deje que fluya por la boca, comprobando que cubre las papilas gustativas de la lengua. Con el vino en la boca, tome un poco de aire y sienta el aroma en la garganta. No solamente saboreará las características del vino, sino que también notará su textura, por ejemplo, la viscosidad de un vino de postre espeso o la suavidad aterciopelada de un pinot noir.

tintos

PINOT NOIR

Un vino tinto suave y ligero con una gama de sabores que va desde los arándanos y las cerezas hasta las especias y la tierra. El pinot noir es un vino de sabor intenso y una textura suave, fresca y aterciopelada. Recomendaciones generales: pescados de sabor fuerte, como el atún y el salmón del Atlántico, pato y carnes de caza, algunos platos especiados, patés, terrinas y platos de pasta.

CABERNET SAUVIGNON

Con aromas de casis y roble joven o madera de cedro, el cabernet sauvignon es un estupendo vino, robusto y flexible, de cuerpo medio a entero, que presenta un acabado completo que perdura y un alto nivel de tanino y acidez. Recomendaciones generales: carne de vacuno, cordero y algunas carnes de caza.

MERLOT

El merlot habitualmente se vende mezclado con cabernet sauvignon. Es un vino suave, de baja acidez y poco contenido en tanino, que sin embargo conserva un sabor completo, sustancioso y rotundo. Cuando no está mezclado, el merlot es extremadamente redondo y meloso. Recomendaciones generales: carnes rojas, comida italiana y quesos.

SHIRAZ

Un vino oscuro y de sabor intenso a bayas y especias, o incluso a pimienta o a tierra, con un suave acabado de roble. El shiraz tiene un sabor generoso y un nivel de tanino y acidez más bajo que el cabernet sauvignon, lo que hace que ambos se complementen perfectamente. Recomendaciones generales: buey y ternera, carnes de caza, quesos curados y alimentos ahumados.

GARNACHA

Un vino que se suele mezclar con un shiraz o un mourvèdre debido a sus sabores bien especiados y de fruta madura. Una vez mezclada, la garnacha mejora y se convierte en un delicioso vino de sabor especiado. Recomendaciones generales: comida del Oriente Medio, platos con ajo y carnes especiadas.

café y pastas

elementos básicos

El café es el fruto de un tipo de arbusto de hoja perenne que crece en una estrecha franja subtropical alrededor del mundo. Primero aparecen pequeños racimos de flores parecidas al jazmín y más tarde unas pequeñas bayas verdes. Éstas tardan entre 6 y 9 meses en madurar y cambian de verde a amarillo y después a rojo, hasta que alcanzan un color oscuro, casi negro. Las bayas de café se recolectan a mano porque maduran en épocas diferentes. Cada baya de café contiene dos granos verdes de café y se necesitan 4.000 granos para producir 500 g de café tostado.

procesamiento

Después de ser recolectadas, las bayas de café se procesan para eliminar la pulpa y dejar sólo el grano. Para ello se retiran la vainas o se dejan en remojo, se secan las bayas y se extrae el fruto. Entonces se seleccionan y se clasifican los granos verdes manualmente y se llevan a diferentes partes del mundo para ser tostados.

torrefacción

La torrefacción carameliza los azúcares e hidratos de carbono del grano de café y forma el aceite de café, que es de donde procede su sabor y aroma. El grano ligeramente tostado, de color canela a chocolate claro, es el que se utiliza para el café exprés, ya que el tueste más claro produce un sabor más penetrante y ácido que el tueste más oscuro. Cuanto más oscura es la torrefacción, menos cafeína y acidez contiene.

mezcla

Los granos de café tienen un sabor diferente según la ubicación y las condiciones en las que ha crecido el cafeto. El café de sabor completo y equilibrado se consigue mediante mezclas. Hay granos de café del mismo tipo que crecen en lugares diferentes y se suelen mezclar para conseguir un café perfecto. Muchos cafés exprés contienen entre 3 y 7 granos diferentes para crear la complejidad necesaria.

molturación

Media: cafetera de filtro, cafetera eléctrica de filtro grueso o cafetera de émbolo. Muy fina: café exprés y cafetera eléctrica de filtro de papel.

10 pasos para un mejor café

• Utilice granos de café frescos. Guarde el café en grano a temperatura ambiente fresca, lejos de otros alimentos de olor intenso. A menos que tenga que guardar el café durante un período largo de tiempo, no debería congelarlo, ya que su sabor puede verse afectado.

• El aire y la humedad son los enemigos del café, así que guárdelo en un recipiente hermético.

• El café sabe mejor cuando se consume entre 24 y 72 horas después del tueste. El sabor disminuye sustancialmente después de 7-10 días. Los granos de café viejos tienen un aspecto aceitoso.

• Procure moler la cantidad justa de café que necesite.

• Para obtener un estupendo café, muela los granos antes de prepararlo.

• Si no compra café de calidad, ¿cómo puede esperar una buena taza de café?

• Utilice la cantidad correcta: una buena regla general son dos cucharadas rasas de café por taza.

• Compruebe que el equipo para preparar el café (cafeteras de émbolo, eléctricas, etcétera) esté limpio y libre de restos de café molido o de aceites.

• Caliente la taza con agua caliente antes de poner el café.

• Antes de servir, agite la taza de café para asegurarse de que los aceites del café más fuertes, y por tanto los sabores más intensos, se distribuyen por toda la taza.

◄ percolador

cafetera de émbolo   máquina de café exprés ►

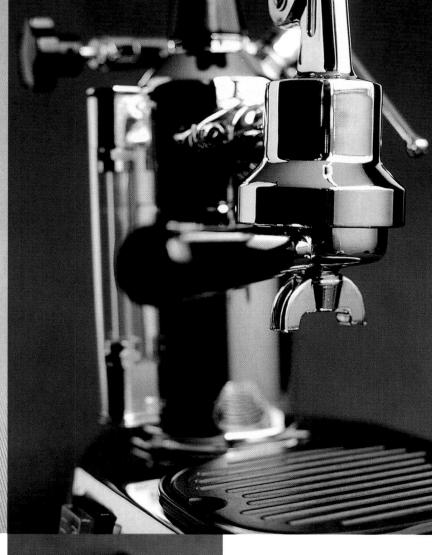

galletas de coco y almíbar dorado

galletas de mantequilla rellenas de chocolate ▶

galletas de coco y almíbar dorado

125 g de mantequilla, cortada
1 taza de azúcar lustre
½ taza de almíbar dorado
1 ⅓ tazas de harina
1 taza de coco rallado
2 claras de huevo

Ponga la mantequilla y el azúcar en el vaso de una batidora eléctrica y bata hasta que esté cremoso. Añada el almíbar dorado y bata hasta que esté bien mezclado. Incorpore la harina, el coco y las claras de huevo a la mezcla y deje 10 minutos en la nevera.
Forre unas bandejas para el horno con papel antiadherente. Ponga cucharadas de la mezcla en las bandejas forradas y extienda con una paleta hasta formar unos círculos de aproximadamente 5 cm. Hornee las galletas en el horno precalentado a 180° C durante unos 8-10 minutos o hasta que tengan un color dorado pálido. Deje enfriar sobre una rejilla. Sirva con café cortado. Para 30 unidades.

galletas de mantequilla rellenas de chocolate

125 g de mantequilla
⅔ de taza de azúcar glas
¾ de taza de harina
¼ de taza de harina de arroz
⅓ de taza de cacao en polvo
relleno
125 g de chocolate negro
¼ taza de nata líquida

Ponga la mantequilla y el azúcar glas en el vaso de una batidora eléctrica y bata hasta que esté ligero y cremoso. Añada la harina de trigo, la de arroz y el cacao en polvo y mezcle hasta obtener una masa suave.
Extienda la masa entre hojas de papel antiadherente, hasta que tenga un grosor de 2 mm. Corte en círculos de 6 cm y coloque sobre una bandeja para el horno forrada con papel antiadherente.
Hornee los círculos de masa en el horno precalentado a 160° C durante 15 minutos o hasta que las galletas estén firmes al tacto. Deje enfriar sobre una rejilla.
Para preparar el relleno ponga el chocolate y la nata líquida en un cazo a fuego lento y remueva hasta que esté suave. Deje la mezcla en la nevera hasta que esté firme.
Para servir, ponga una cucharada de relleno de chocolate en una galleta y cúbrala con otra. Para 12 unidades.

muffins de arándanos y fruta de la pasión envueltos en pergamino

papel de pergamino y cordel
1 ¾ tazas de harina tamizada
1 ½ cucharaditas de levadura en polvo
1 taza de azúcar de lustre
1 cucharadita de canela molida
1 taza de crema agria
60 g de mantequilla ablandada
2 cucharaditas de ralladura de limón
1 huevo
⅓ de taza de pulpa de fruta de la pasión
1 taza de arándanos

Enrolle unas tiras pequeñas de papel de pergamino hasta obtener 8 cilindros de 8 cm de alto por 6 cm de ancho, y átelos con el cordel. Coloque estos cilindros en tarrinas con una capacidad de ½ taza que quepan en una bandeja para el horno.
Ponga la harina, la levadura en polvo, el azúcar y la canela en un cuenco y mezcle. Coloque la crema agria, la mantequilla, la ralladura de limón, el huevo y la fruta de la pasión en un cuenco aparte y mezcle bien.
Incorpore la mezcla de crema agria a los ingredientes secos y remueva hasta que esté todo mezclado. Esparza los arándanos por encima y coloque cucharadas dentro de los cilindros de pergamino hasta unos tres cuartos de su altura. Hornee los *muffins* en el horno precalentado a 180° C durante 35-40 minutos o hasta que al pincharlos compruebe que están hechos. Sírvalos calientes con el café con leche para el desayuno o como tentempié matinal. Para 8 unidades.

granizado de café

3 tazas de agua caliente
1 taza de azúcar
2 tazas de café fuerte ya preparado

Ponga el agua, el azúcar y el café en un cazo a fuego suave y remueva hasta que se haya disuelto el azúcar. Lleve a ebullición y deje a fuego lento unos 3 minutos.
Vierta la mezcla en un recipiente metálico y deje 3 horas en el congelador. Bata con un tenedor y déjela 3 horas más en el mismo sitio. Sirva como desayuno en verano o como un reconstituyente en una tarde calurosa. Para 6 personas.

muffins de arándanos y fruta de la pasión envueltos ▶
en pergamino

pastelitos con almíbar de café

155 g de mantequilla
2/3 de taza de azúcar de lustre
1 cucharadita de esencia de vainilla
1 huevo
1 1/2 tazas de harina de fuerza
2 cucharadas de café exprés ya preparado
2 cucharadas de leche
almíbar de café
1 taza de café exprés ya preparado, fuerte
1/3 de taza de azúcar
1-2 cucharadas de licor de café

Ponga la mantequilla y el azúcar en un cuenco y bata hasta que esté ligero y cremoso. Añada la vainilla y el huevo y bata bien. Incorpore la harina tamizada a la mezcla, junto con el café y la leche.
Ponga cucharadas de mezcla en moldes para pastelitos de 8 cm o moldes para *muffins* de 1/2 taza de capacidad y hornee en el horno precalentado a 180° C durante 20 minutos o hasta que al pincharlos vea que están hechos.
Para el almíbar ponga el café, el azúcar y el licor en un cazo a fuego suave y remueva hasta que se haya disuelto el azúcar. Deje a fuego lento unos 4-6 minutos o hasta que haya espesado. Para servir, desmolde los pasteles calientes y póngalos en platos individuales, rematados con el almíbar de café y nata líquida espesa. Para 12 unidades.

chupitos de café exprés

4 cucharadas de granos de café
3/4 de taza de nata líquida
70 g de chocolate negro
3 cucharadas de licor de café o de cacao

Ponga los granos de café y la nata líquida en un cazo a fuego suave y deje unos 4-5 minutos; deje reposar durante 20 minutos y después cuélelo. Vuelva a poner la nata líquida en el cazo, agregue el chocolate y mezcle hasta que esté suave. Incorpore el licor. Vierta la mezcla en vasos de cortado y deje en la nevera hasta que espese. Sirva como bebida refrescante en una tarde de verano o como un chupito suave para después de la cena. Para 6 personas.

tartaletas de crema portuguesas

unos 350 g de pasta de hojaldre dulce* u hojaldre ya preparado
relleno
1/3 de taza de azúcar
1/3 de taza de agua
2 tazas de leche
2 cucharadas de harina de maíz (almidón)
2 yemas de huevo
1 cucharadita de esencia de vainilla

Extienda la pasta sobre una superficie ligeramente enharinada hasta obtener 3 mm de grosor. Corte en círculos de 10 cm y coloque en moldes para tartaletas hasta que la masa llegue al borde. Para el relleno ponga el azúcar y el agua en un cazo a fuego lento y remueva hasta que se haya disuelto el azúcar. Deje el almíbar a fuego suave durante 1 minuto. Deslía la harina de maíz en un poco de leche hasta que esté suave. Mezcle con el resto de la leche, el almíbar, las yemas de huevo y la vainilla y ponga en una cacerola a fuego suave. Remueva hasta que la mezcla espese, deje enfriar y cubra la superficie con plástico de cocina. Ponga cucharadas de relleno en las tartaletas. Hornee en el horno precalentado a 200° C durante 20 minutos o hasta que la crema esté dorada y firme. Para 8 unidades.

café con leche helado

500 ml de leche
1/3 de taza de café exprés fuerte, helado
6 cubitos de hielo

Deje la leche en el congelador durante 3 horas o hasta que esté congelada. Ponga la leche, el café y el hielo en una picadora y bata hasta que esté suave. Vierta la mezcla en vasos helados y sirva inmediatamente. Para 2 personas.

après café

6 cucharadas de café molido grueso
1 rama de canela
100 g de chocolate negro
4 1/2 tazas de leche

Ponga el café, la canela, el chocolate y la leche en una cacerola y remueva a fuego medio hasta que la leche empiece a hervir. Pase la mezcla por un colador fino y sirva en tazas o vasos precalentados. Sirva en una tarde fría. Para 4 personas.

arriba, a la derecha: tartaletas de crema portuguesas ▶
abajo, a la izquierda: *brioches* con centros de chocolate

granizado de café

chupitos de café exprés

café con leche helado

après café

pastelitos de nectarina

125 g de mantequilla picada
1 taza de azúcar
1 cucharadita de esencia de vainilla
2 huevos
1 ⅓ tazas de harina tamizada
1 ½ cucharaditas de levadura en polvo
1 taza de crema agria
⅓ de taza de almendras molidas
3-4 nectarinas en rodajas
1 cucharada de azúcar moreno

Ponga la mantequilla, el azúcar y la vainilla en el vaso de una batidora eléctrica y bata hasta que esté cremoso. Añada los huevos, uno a uno, y bata bien. Incorpore la harina y la levadura en polvo y mezcle con la crema agria y las almendras.
Ponga cucharadas de la mezcla en 8 moldes para pastel de 8 ½ cm, forrados, o en moldes para *muffins* grandes. Remate con las rodajas de nectarina y espolvoree con el azúcar moreno. Hornee en el horno precalentado a 180° C durante 20-25 minutos o hasta que al pincharlos vea que están cocidos. Desmolde los pastelitos y sirva calientes con el café. Para 8 unidades.

brioches con centros de chocolate

2 tazas de harina
1 ½ cucharaditas de levadura seca activa
½ taza de leche caliente
1 cucharadita de esencia de vainilla
3 cucharadas de azúcar
2 yemas de huevo
125 g de mantequilla ablandada y picada
8 trozos grandes de chocolate negro, de unos 15 g cada uno

Ponga la harina y la levadura en el vaso de una batidora eléctrica equipada con un brazo para amasar. Ponga la leche caliente, la vainilla y el azúcar en un cuenco y mezcle bien. Añada esta mezcla junto con la yema de los huevos a la harina y bata a velocidad media hasta obtener una masa suave. Siga batiendo, añadiendo toda la mantequilla poco a poco, hasta que la mezcla esté suave. También puede mezclar la harina y la levadura en un cuenco hasta obtener una masa suave. Pase la masa a una superficie ligeramente enharinada y trabaje hasta que esté suave. Añada la mantequilla, un poco cada vez, y trabaje hasta que esté bien mezclada. Cubra la masa y reserve entre 1 ½ y 2 horas o hasta que haya subido. Trabaje sobre una superficie ligeramente enharinada hasta que esté suave y elástica y después divida en 8 trozos. Aplane ligeramente con la palma de la mano. Coloque un trozo de chocolate en medio de la masa y doble para que quede bien cerrada. Ponga el *brioche* en moldes *dariole** enharinados o moldes para *brioche*, cubra y deje reposar durante 1 hora o hasta que la masa haya subido. Hornee en el horno precalentado a 180° C durante 15-20 minutos o hasta que los *brioches* tengan un color dorado. Sírvalos calientes con café con leche. Para 8 unidades.

◀ pastelitos de nectarina

panforte de chocolate y melocotón

papel de arroz
1 taza de glucosa líquida
¾ de taza de azúcar
2 tazas de almendras escaldadas, tostadas y picadas gruesas
1 ½ tazas de orejones de melocotón picados
1 ½ tazas de harina tamizada
⅓ de taza de cacao en polvo
1 cucharadita de canela molida
180 g de chocolate negro derretido

Forre la base y los lados de un molde de 18 x 28 cm con papel de arroz y reserve.
Ponga la glucosa y el azúcar en un cazo y remueva a fuego suave hasta que se haya disuelto el azúcar. A continuación lleve el almíbar a ebullición y deje a fuego lento unos 2 minutos o hasta que haya espesado ligeramente.
Ponga las almendras, los orejones, la harina, el cacao y la canela en un cuenco. Incorpore el almíbar y el chocolate y mezcle todo bien. Presione firmemente la mezcla en el molde forrado y hornee en el horno precalentado a 180° C durante 20 minutos o hasta que el *panforte* esté esponjoso al tacto. Deje enfriar en el molde antes de cortar y servir con el café. Para 20 recuadros.
Nota: el papel de arroz utilizado en esta receta es el de tipo blanco y rectangular que muchas veces se encuentra en los turrones o dulces.

momentos de caramelo

250 g de mantequilla
⅔ de taza de azúcar moreno
2 tazas de harina
relleno
90 g de mantequilla
200 g de azúcar moreno
2 cucharadas de almíbar dorado
⅓ de taza de nata líquida espesa

Ponga la mantequilla y el azúcar en el vaso de una batidora eléctrica y bata hasta que esté ligero y cremoso. Agregue la harina y mezcle bien.
Ponga cucharadas de la mezcla en bandejas para el horno forradas. Hornee en el horno precalentado a 160° C durante 15 minutos o hasta que las galletas estén doradas y deje enfriar sobre una rejilla.
Para el relleno ponga la mantequilla, el azúcar, el almíbar dorado y la nata líquida en un cazo a fuego lento y remueva hasta que esté suave. Deje el caramelo a fuego lento unos 5 minutos o hasta que espese ligeramente.
Enfríe el caramelo en la nevera hasta que cuaje. Extienda el caramelo sobre la mitad de las galletas y cubra con el resto, como un bocadillo. Sirva con café solo. Para 30 unidades.

panforte de chocolate y melocotón

momentos de caramelo

pastelitos con almíbar de café

ideas para menús

desayuno para 2

muffins de arándanos y fruta de la pasión envueltos
en pergamino
granizado de café

PREPARACIÓN DE LOS ALIMENTOS
Para perder menos tiempo por la mañana, prepare los cilindros
de pergamino y mida los ingredientes la noche anterior. Mezcle
los ingredientes y hornee los *muffins* a la mañana siguiente.

SUGERENCIAS PARA BEBIDAS
Un vaso de agua mineral con gas, bien fría, acompañado de una
rodaja de lima y unas cuantas hojas de menta, ayuda a despertar
el organismo. Intente congelar fruta picada la noche anterior y
después, por la mañana, póngala en una batidora con un chorro
de zumo y bata hasta que esté suave. Para las mañanas calurosas
de verano, sirva granizado de café en lugar de café caliente.
Prepárelo la noche anterior.

café y tertulia para 8

pastelitos de nectarina
galletas de mantequilla rellenas de chocolate
après café

PREPARACIÓN DE LOS ALIMENTOS
Hornee las galletas de mantequilla el día anterior y guárdelas
en un recipiente hermético. Rellene con el chocolate media
hora antes de servir. Los pastelitos de nectarina quedan mejor
si se consumen el mismo día en que se preparan. Si no encuentra
nectarinas, utilice rodajas de manzana verde o pera.

SUGERENCIAS PARA BEBIDAS
Si se trata de una pequeña reunión a media mañana, sirva
pequeños boles de *après* café (x 2) o zumo de pomelo rosado
recién exprimido disuelto en agua mineral con gas.
Para las agradables e informales tertulias de la tarde, sugiero
empezar con un vino espumoso dulce antes del café.
Para los más atrevidos o para aquellos que prefieren sentarse
a escuchar, un chorrito de grapa o de *pastis* con un poco de agua
con hielo es ideal para disfrutar de este agradable momento.

sobremesa para 6

panforte de chocolate y melocotón
galletas de coco y almíbar dorado
chupitos de café exprés

PREPARACIÓN DE LOS ALIMENTOS
Prepare el *panforte* de chocolate y melocotón hasta
un máximo de 2 días antes y guárdelo en un recipiente hermético.
Las galletas de coco y almíbar dorado las puede hacer un día
antes y guardarlas en un recipiente hermético cuando se hayan
enfriado por completo.

SUGERENCIAS PARA BEBIDAS
Unos chupitos de café exprés (que hay que preparar con
antelación) y un *riesling* con botritis de la última cosecha, bien frío,
quedarán perfectos. Si desea un poco de aventura, pruebe un
licor añejo de moscatel o de *tokay*.

invitación a café para 12

pastelitos con almíbar de café
momentos de caramelo
pastelitos de nectarina
café con leche helado

PREPARACIÓN DE LOS ALIMENTOS
Puede invitar a tomar café en aquellas ocasiones en que
no es necesaria una cena prolongada. Los pastelitos con almíbar
de café los puede preparar con antelación y calentarlos con el
almíbar. Hornee los pastelitos de nectarina en pequeños moldes
de *muffins* para los pastelitos de menor tamaño y para que el
tiempo de cocción sea más corto; así, los invitados podrán probar
todos los tipos de dulces. Hornee las galletas para los momentos
de caramelo el día anterior y guárdelas en un recipiente hermético.
Rellene las galletas con el caramelo 1 hora antes de servirlas.

SUGERENCIAS PARA BEBIDAS
Si es verano, sirva café con leche helado. Si hay muchas
personas, prepare unas cafeteras de émbolo grandes o vaya
haciendo varias cafeteras exprés. Haga lo que haga, no recaliente
el café. Si la reunión es formal, un *semillon* o un *riesling* afectado
de botritis, o incluso un buen vino de Oporto añejo irán muy bien
con el café y las pastas dulces.

platos orientales al vapor

elementos básicos

utensilios

Las **VAPORERAS DE BAMBÚ** se venden en diversos tamaños. Compre 2 vaporeras con una tapa que encaje bien y que se puedan colocar una encima de la otra sobre un *wok*, o adquiera algunas más pequeñas que encajen con sus cacerolas. Deje las vaporeras nuevas en remojo en agua fría durante 2 horas antes de utilizarlas. Engrase la base o fórrela con papel antiadherente para el horno.

La **ESPÁTULA**, con su largo mango de bambú, es estupenda para extraer los alimentos fritos del *wok* o para dejarlos escurrir.

Los **PALILLOS** son ideales para coger los apetitosos bocados de comida oriental, para los fideos y el *sushi*. También van muy bien para remover los ingredientes y se pueden colocar encima del *wok* como soporte para la vaporera.

La **ALFOMBRILLA PARA** *SUSHI* es una esterilla de bambú, económica e imprescindible, que se utiliza para enrollar el arroz para el *sushi* y los rollitos de *nori*.

wok, *chan* y escobilla

Existen **WOKS** de varios tipos. Compre uno de acero con base redondeada. Lávelo bien y prepárelo para el uso calentando 2 cucharadas de aceite a fuego vivo hasta que empiece a humear. Unte con el aceite los lados del *wok*, deje enfriar y repita la operación 3 veces. Engrase el *wok* antes de guardarlo para que no se oxide.

La **PALA PARA** *WOK* **O** *CHAN* es estupenda para remover y retirar los ingredientes del *wok*.

La **ESCOBILLA PARA** *WOK* es un cepillo duro de bambú que se utiliza para limpiar el *wok* con el mínimo esfuerzo y sin arañar la superficie curtida del recipiente. Después de limpiarlo, ponga el *wok* a fuego vivo para que se seque.

salsas

La **SALSA DE SOJA** puede ser de clara a oscura y de dulce a salada. Existen muchas variedades. Una buena norma es: la salsa de soja china para los platos chinos, y la salsa de soja japonesa para los platos japoneses. Cuando utilice salsa de soja, compruebe el plato acabado antes de servirlo. Si la salsa es demasiado salada, añada un poco de azúcar de palma para reducir la salobridad.

La **SALSA DE OSTRAS** es una salsa aromática y viscosa con sabor a ostras y a marisco. Compre una salsa de buena calidad.

La **SALSA DE PESCADO** es el líquido de color ámbar claro que se obtiene después de escurrir los pescados pequeños que han fermentado en barriles de madera con sal. Una vez se acostumbra uno al olor, el sabor se convierte en adictivo.

El *PONZU* es una estupenda salsa japonesa con base de soja y cítricos. Utilícela para macerar pescado y marisco, carnes y pollo. También queda muy bien como salsa para mojar. La encontrará en tiendas de alimentación oriental.

verduras asiáticas

El *BOK CHOY* tiene hojas de color verde brillante y su tallo es verde claro. Las hojas y los tallos se juntan para formar un manojo de aspecto pulcro. También puede encontrar la variedad más tierna, llamada *baby bok choy*.

El *CHOY SUM*, con tallos delgados, regulares y firmes, hojas de un verde brillante y a menudo con flores amarillas, es ideal para preparar al vapor o salteado.

Los **BROTES DE TIRABEQUE** son los pequeños brotes jóvenes y tiernos de la planta de los tirabeques y tienen el mismo sabor, aunque un poco más suave. Quedan estupendos en ensaladas o platos salteados.

El *GAI LARN*, también conocido como brécol chino, se reconoce fácilmente porque los tallos se parecen a los ramitos de brécol. Produce unas flores blancas. Los tallos, las hojas y las flores son comestibles y dejan un ligero sabor amargo en la boca.

ingredientes esenciales

El **AZÚCAR DE PALMA** se hace con la savia de un tipo de palmera. Normalmente el azúcar de color más oscuro es el mejor. Extraiga virutas finas del bloque con un cuchillo o peladora de verduras. Se utiliza para equilibrar el punto de sal y para la preparación de dulces.

El **TAMARINDO** se puede comprar en forma de pulpa, suave y seca, del fruto del tamarindo. La pulpa ácida y las semillas tienen que dejarse en remojo en agua caliente y remover con un tenedor o estrujar con los dedos para que suelten el sabor.

El *MIRIN* es un vino para cocinar hecho con arroz. Compre el *mirin* puro *(hon)*.

El **VINAGRE DE ARROZ JAPONÉS** es imprescindible para el amante del arroz para sushi*. No compre el que está condimentado porque contiene glutamato monosódico (gms).

La **PASTA DE GUINDILLA** se vende bajo muchos nombres, incluido el de pasta de guindilla con aceite de soja. Es una mezcla de guindillas, salsa de pescado, pasta de gambas, tamarindo y chalotas. Utilícela para cocinar o como salsa para mojar.

El **VINO DE ARROZ** *SHAO HSING* es un vino chino para cocinar. Un buen sustituto es el jerez dulce.

hierbas asiáticas

La **MENTA VIETNAMITA**, con sus hojas largas y puntiagudas, tiene un sabor característico a especias, ligeramente amargo pero refrescante.

Las **HOJAS DE LIMA KAFIR** presentan una forma que recuerda a una mariposa. Tienen un distintivo aroma cítrico y un fantástico sabor. Cuando las utilice para cocinar, hiérvalas a fuego lento, enteras o cortadas en tiras finas.

La **ALBAHACA TAILANDESA** posee un sabor más dulce que la mediterránea. Tiene tallos de color púrpura y a menudo presenta unas venas del mismo color que atraviesan las hojas.

alfombrilla para *sushi*

vaporeras de bambú

wok, escobilla y *chan*

coladores

palillos

platos orientales al vapor

salsas

salsa de pescado y salsa de ostras

azúcar de palma

pulpa de tamarindo y pasta de guindilla

vino *shao hsing*, vinagre de arroz y *mirin*

hojas de lima kafir

gai larn

choy sum

brotes de tirabeque

bok choy

albahaca tailandesa

menta vietnamita

35

empanadillas de gamba y guindilla

arroz al vinagre con sashimi adobado

rollitos de pasta de arroz con carne de cerdo

espinacas con sésamo y soja

arroz al vinagre con *sashimi* adobado

250 g de atún para *sashimi*, en rodajas

250 g de salmón para *sashimi*, en rodajas

1 porción de arroz para *sushi**

2 cucharadas de vinagre de arroz japonés

adobo

3 cucharadas de salsa de soja

1 cucharada de zumo de limón

2 cucharaditas de semillas de sésamo negro*

2 cucharadas de *mirin*

1 cucharadita de pasta *wasabi**

2 cucharadas de migas de bonito*

Para el adobo ponga la salsa de soja, el zumo de limón, las semillas de sésamo, el *mirin*, el *wasabi* y las migas de bonito en un cuenco no reactivo*. Deje reposar el líquido de maceración durante 2 horas y después cuélelo. Póngalo en una fuente grande y plana. Coloque el atún y el salmón en el adobo. Deje adobar el pescado durante 10 minutos.
Ponga arroz en 4 recipientes para servir y riegue con vinagre. Adorne el arroz con trozos de *sashimi* y sirva el adobo como salsa para mojar. Sirva con jengibre encurtido, *wasabi* extra y salsa de soja. Para 6 personas o 4 como plato principal.

empanadillas de gamba y guindilla

500 g de carne de gamba, finamente picada

2 chalotas picadas

1 cucharada de *galangal** o jengibre cortado en tiras finas

1 cucharada de hojas de cilantro picadas

1 cucharada de pasta de guindilla

2 cucharadas de vino chino para cocinar *(shao hsing)*

1 cucharada de salsa de soja

30 envolturas para *wonton* redondas

1 cucharada de harina de maíz (almidón)

2 cucharadas de agua

1 cucharada de aceite

1 taza de caldo de verduras* o de pescado*

Mezcle las gambas, las chalotas, el *galangal*, el cilantro, la pasta de guindilla, el vino y la salsa de soja en un cuenco. Ponga 1 cucharada de la mezcla en cada envoltura para *wonton*. Deslía la harina de maíz en agua para formar una pasta suave y pinte los bordes de la empanadillas con ella. Doble el *wonton* por la mitad, frunza los bordes como un abanico y presione con las puntas de los dedos. Caliente aceite en una sartén a fuego vivo. Ponga las empanadillas y fría las bases hasta que estén doradas. Añada el caldo y tape la sartén. Deje que se cuezan en el caldo durante 3-4 minutos o hasta que estén tiernas. Retire la tapa y deje que se evapore el caldo. Compruebe que las bases estén firmes. Retire de la sartén y sirva con pasta de guindilla extra. Para 30 unidades.

rollitos de pasta de arroz con carne de cerdo

300 g de rollitos de pasta de arroz

relleno

400 g de carne de cerdo picada

1 guindilla roja, sin semillas y picada

2 cucharaditas de jengibre finamente picado

1 diente de ajo machacado

2 cucharadas de hojas de cilantro picadas

2 cucharadas de salsa de soja

salsa para mojar

3 cucharadas de salsa *hoi sin**

2 cucharadas de vino chino para cocinar *(shao hsing)*

2 cucharaditas de jengibre picado

Deje los rollitos de pasta de arroz en remojo en agua caliente hasta que estén tiernos y flexibles.
Para el relleno mezcle bien la carne de cerdo con la guindilla, el jengibre, el ajo, el cilantro y la salsa de soja en un cuenco. Coja 1/3 de taza de relleno y enróllelo en forma de salchicha para que encaje en los rollitos de pasta de arroz. Ponga el relleno en un extremo y enrolle para cerrar. Repita la operación con el resto de rollitos. Colóquelos en una vaporera y cueza al vapor sobre una cacerola de agua hirviendo durante 5-6 minutos o hasta que el relleno esté cocido. Sirva con la salsa para mojar.
Para preparar la salsa *hoi sin*, ponga el vino y el jengibre en una cacerola y caliente sin que llegue a hervir. Vierta la salsa en cuencos pequeños y sirva con los rollitos. Para 4-6 personas como primer plato.

espinacas con sésamo y soja

500 g de hojas de espinacas

aliño de sésamo

1/3 de taza de semillas de sésamo

4 cucharadas de salsa de soja

1 cucharada de azúcar

4 cucharadas de *mirin*

Cueza las espinacas en una olla con agua hirviendo durante 10-15 segundos, escurra y pase por el grifo de agua fría.
Para el aliño de sésamo ponga las semillas en una sartén seca y tuéstelas hasta que estén doradas. Ponga las semillas de sésamo y 1 cucharada de salsa de soja en un mortero y machaque con la mano de mortero hasta formar una pasta suave. Agregue el resto de salsa de soja, el azúcar y el *mirin* y mezcle bien. Ponga el aliño en un cazo a fuego medio y lleve a ebullición. Deje unos 2 minutos a fuego suave o hasta que espese.
Ponga las espinacas en una fuente de servir y vierta el aliño de sésamo por encima. Espolvoree con semillas de sésamo extra y sirva. Para 4 personas como primer plato o guarnición.

tiras de pasta de arroz con pato a la barbacoa

tofu *agedashi*

ensalada de pollo con limón al vapor

berenjenas con *miso* rojo

tiras de pasta de arroz con pato a la barbacoa

1 pato a la barbacoa al estilo chino*
400 g de láminas de pasta de arroz
2 cucharaditas de aceite de sésamo
1 cucharada de aceite
1 cucharada de jengibre cortado en tiras finas
10 chalotas cortadas en cuartos
300 g de *baby bok choy*, partido en hojas
½ taza de caldo de pollo*
2 cucharadas de salsa de soja
¼ de taza de vino chino para cocinar *(shao hsing)* o jerez

Corte el pato en trozos del tamaño de un bocado y retire todos los huesos que sea posible. Corte las láminas de pasta de arroz en tiras muy anchas y enjuague bajo el grifo de agua caliente. Caliente los aceites en un *wok* o sartén. Ponga el jengibre y las chalotas y fría durante 1 minuto. Incorpore el pato al *wok* y deje 1 minuto más. Añada el *bok choy*, las tiras de pasta de arroz, el caldo, la salsa de soja y el vino y deje cocer unos 3-4 minutos o hasta que el pato esté caliente. Para 4 personas.

tofu *agedashi*

500 g de tofu de seda firme, en rodajas
harina de arroz para espolvorear
aceite para freír
1 lámina de *nori*, cortada en tiras finas
salsa
1 ½ tazas de caldo *dashi*
2 cucharadas de salsa de soja
3 cucharadas de *mirin*
1 cucharadita de azúcar
8 setas *shiitake* frescas, pequeñas
1 cebolleta cortada en rodajitas finas

Para la salsa ponga el caldo *dashi*, la salsa de soja, el *mirin*, el azúcar y las setas en una cacerola a fuego suave y deje cocer unos 3 minutos. Añada la cebolleta.
Pase el tofu ligeramente por la harina de arroz y sacúdalo un poco. Caliente aceite en una sartén a fuego vivo y fría el tofu, unos cuantos trozos a la vez, hasta que esté dorado. Deje escurrir sobre papel absorbente.
Para servir, ponga el tofu caliente en cuencos individuales y vierta la salsa por encima. Espolvoree con el *nori* y sirva inmediatamente. Para 4-6 personas como primer plato.

ensalada de pollo con limón al vapor

2 limones en rodajas
4 filetes de pechuga de pollo
1 cucharadita de granos de pimienta de Szechwan*, tostados y machacados
ensalada
2 cucharadas de menta vietnamita cortada en tiras
½ taza de hojas de menta
½ taza de hojas de albahaca tailandesa
100 g de brotes de tirabeque
2 cebollas rojas en rodajitas finas
2 guindillas rojas sin semillas y cortadas en rodajas
3 cucharadas de zumo de limón
2 cucharadas de salsa de pescado
1 cucharada de azúcar de palma o moreno
1 cucharada de salsa de soja

Cubra una vaporera de bambú con rodajas de limón. Ponga el pollo encima y espolvoree ligeramente con los granos de pimienta de Szechwan. Tape la vaporera y colóquela sobre una cacerola de agua hirviendo; deje cocer unos 3-5 minutos o hasta que el pollo esté tierno. Retire y deje enfriar. Deshaga la carne de pollo con los dedos.
Para la ensalada, mezcle las mentas, la albahaca, los brotes de tirabeque, las cebollas y las guindillas en un cuenco grande para servir. Ponga el zumo de limón, la salsa de pescado, el azúcar y la salsa de soja en un cuenco pequeño y mezcle bien. Incorpore el pollo y el aliño a la ensalada y sirva. Para 4 personas.

berenjenas con *miso* rojo

2-3 cucharadas de aceite
2 berenjenas picadas
2 cucharaditas de jengibre cortado en tiras finas
2 cucharadas de *miso* rojo*
2 cucharadas de salsa de soja
2 cucharadas de *mirin*
1 ½ tazas de caldo *dashi*

Caliente aceite en una sartén o *wok* y fría los trozos de berenjena, unos cuantos cada vez, hasta que estén dorados por ambos lados. Retire de la sartén y reserve.
Añada el jengibre a la sartén y cueza durante 1 minuto. Agregue el *miso*, la salsa de soja, el *mirin* y el caldo *dashi* y lleve a ebullición. Incorpore la berenjena a la salsa y deje a fuego lento unos 4 minutos o hasta que la berenjena esté tierna y la salsa haya espesado. Para 4 personas como primer plato o guarnición.

buey soasado con fideos *soba*

pescado envuelto en papel de arroz

pollo frito con tamarindo

buey soasado con fideos *soba*

fideos y caldo
300 g de fideos *soba* al té verde*
1 taza de agua
2 cucharadas de salsa de soja
3 cucharadas de *mirin*
1 cucharada de azúcar
2 cucharadas de migas de bonito*
3 chalotas picadas
buey
3 cucharadas extra de salsa de soja
1 cucharada de zumo de limón
1 cucharada extra de *mirin*
2 cucharaditas de aceite de sésamo
500 g de filete de buey

Para cocer los fideos, póngalos en una cacerola de agua hirviendo y remueva. Deje que el agua vuelva a hervir y después añada 1 taza de agua fría. Repita esta operación 3 veces o hasta que los fideos estén blandos; después escúrralos y enjuáguelos bien bajo el grifo de agua fría. Para hacer el caldo, ponga el agua, la salsa de soja, el *mirin* y el azúcar en una cacerola y lleve a ebullición. Añada las migas de bonito y retire la cacerola del fuego. Deje reposar 5 minutos y después pase por un colador fino.

Mezcle la salsa de soja extra con el zumo de limón, el *mirin* extra y el aceite de sésamo y vierta por encima de la carne. Deje adobar durante 20 minutos.

Para servir, pase los fideos por el caldo colado con las chalotas y coloque en platos individuales. Cueza la carne sobre una parrilla caliente o sartén durante 1 minuto por cada lado o hasta que esté soasado por fuera y caliente por dentro. Corte el filete en lonchas finas, coloque encima de los fideos y sirva. Para 4 personas.

pollo frito con tamarindo

1 trozo de pulpa de tamarindo de 50 g
1 taza de agua hirviendo
2 pechugas de pollo dobles con hueso (850 g)
3 cucharadas de salsa de soja
1 cucharada de aceite de sésamo
harina de arroz para espolvorear
2 cucharadas de aceite vegetal
8 chalotas partidas por la mitad
1 cucharada de jengibre cortado en tiras
1 taza de caldo de pollo*
2 cucharadas de salsa de ostras
1 cucharada de azúcar de palma

Ponga la pulpa de tamarindo en un cuenco y cubra con agua hirviendo. Presione con un tenedor para que suelte el aroma y deje reposar unos 5 minutos; después pase por un colador fino.

Corte el pollo en trozos y deje macerar en una mezcla de salsa de soja y aceite de sésamo durante 30 minutos. Guarde el líquido de maceración. Pase el pollo por la harina de arroz y sacuda para eliminar el exceso. Caliente el aceite vegetal en una sartén o *wok* a fuego vivo. Fría unos cuantos trozos de pollo a la vez, hasta que estén dorados, y reserve. Ponga el líquido de maceración con las chalotas y el jengibre en una cacerola y deje cocer durante 1 minuto. Agregue el caldo, el agua del tamarindo, la salsa de ostras y el azúcar. Lleve la salsa a ebullición y deje a fuego lento hasta que se haya reducido a la mitad. Ponga el pollo en la cacerola y deje cocer a fuego suave unos 4-5 minutos o hasta que esté cocido. Sirva en cuencos con panecillos chinos y verduras al vapor. Para 4 personas.

Nota: los panecillos chinos, listos para cocer al vapor, se venden en la sección de congelados de las tiendas de alimentación oriental.

pescado envuelto en papel de arroz

800 g de filete de bacalao fresco en un trozo
2 guindillas verdes picadas
1 cucharada de aceite de sésamo
4 cucharadas de cilantro picado
2 cucharadas de albahaca tailandesa picada
1 cucharadita de semillas de comino
12 redondeles grandes de papel de arroz*
aceite para freír
semillas de sésamo negro*

Lave el bacalao, seque con papel absorbente y corte en
12 trozos. Ponga las guindillas, el aceite de sésamo, el
cilantro, la albahaca y el comino en un molinillo de especias
o en un mortero y muela hasta formar una pasta no
demasiado fina. Extiéndala por encima del pescado.
Pinte los papeles de arroz con agua caliente y deje durante
4 minutos o hasta que estén blandos. Ponga un trozo
de pescado sobre cada redondel, doble los lados hacia
adentro y enrolle.
Caliente un poco de aceite en una sartén a fuego medio.
Fría los paquetes de pescado durante 2-3 minutos por cada
lado o hasta que el papel esté dorado y crujiente y el
pescado esté tierno. Deje escurrir sobre papel absorbente.
Espolvoree el pescado con las semillas de sésamo y sirva
con verduras asiáticas al vapor regadas con salsa de ostras
y con arroz tipo jazmín al vapor. Para 4 personas.

pastelitos de coco al vapor

4 huevos
1/2 taza de azúcar
1/4 de taza de azúcar de palma rallado
1 cucharada de agua hirviendo
1 1/4 tazas de harina con levadura
3 cucharadas de coco rallado

Ponga los huevos y el azúcar en el vaso de una batidora
eléctrica. Mezcle el azúcar de palma con agua hasta que
se haya disuelto e incorpore esta mezcla al azúcar y a los
huevos. Bata a velocidad alta durante 8-10 minutos o hasta
que la pasta esté ligera y espesa. Añada con cuidado la
harina y el coco rallado.
Ponga cucharadas de la mezcla en 6 tazas de té chinas o
en cuencos pequeños para arroz. Coloque las tazas en una
vaporera sobre un *wok* con agua hirviendo, cubra y deje
cocer al vapor unos 15 minutos o hasta que los pasteles
hayan subido y estén firmes. Sirva con pequeños cuencos
de té chino. Para 6 unidades.

arroz gelatinoso con mango y lima

1 taza de arroz gelatinoso*
2 1/2 tazas de agua
1/2 taza de crema de coco
3 cucharadas de azúcar
6 recuadros de 15 cm de hojas de banano
relleno
1 mango, pelado y picado
1 cucharadita de ralladura de lima
2 cucharadas de zumo de lima
1 cucharada de azúcar de palma rallado

Lave el arroz bajo el grifo de agua fría y después escurra.
Ponga el arroz y el agua en una cacerola a fuego medio y
lleve a ebullición. Deje cocer a fuego suave hasta que se
haya absorbido casi todo el líquido. Retire la cacerola del
fuego y vierta la crema de coco encima del arroz. Tape y
deje reposar unos 5-7 minutos o hasta que se haya
absorbido la crema de coco. Añada azúcar al arroz y
reserve.
Deje las hojas de banano en agua hirviendo durante
1-2 minutos o hasta que se ablanden. Divida el arroz en
6 porciones. Extienda la mitad de cada porción sobre el
centro de la hoja. Adorne el arroz con un poco de mango,
ralladura y zumo de lima y el azúcar de palma. Cubra el
relleno con la otra mitad de la porción de arroz.
Enrolle las hojas y sujételas con mondadientes. Coloque los
rollitos sobre una barbacoa o parrilla caliente y deje unos
2 minutos por cada lado o hasta que el arroz esté caliente.
Sirva calientes o fríos. Para 6 unidades.

flanes de azúcar de palma al vapor

3 tazas de leche
1/3 de taza de azúcar de palma
1 anís estrella
1 rama de canela
2 huevos

Ponga la leche, el azúcar, el anís estrella y la canela en una
cacerola a fuego suave durante 5 minutos. Cuele la mezcla
y póngala en un cuenco. Bata los huevos ligeramente y
agréguelos a la mezcla de leche.
Vierta la mezcla en 6-8 tazas de té chinas y colóquelas
en una vaporera. Deje ésta sobre agua hirviendo durante
20 minutos o hasta que los flanes hayan cuajado.
Para 6-8 unidades.

pastelitos de coco al vapor

arroz gelatinoso con mango y lima

platos orientales al vapor

flanes de azúcar de palma al vapor

ideas para menús

almuerzo de *dim sum* para 6

rollitos de pasta de arroz con carne de cerdo
empanadillas de gamba y guindilla
pescado envuelto en papel de arroz
tiras de pasta de arroz con pato a la barbacoa
pastelitos de coco al vapor

PREPARACIÓN DE LOS ALIMENTOS
Como primer plato sirva los rollitos de pasta de arroz con carne de cerdo y las empanadillas de gamba y guindilla, acompañados de cuencos con pasta de guindilla. Puede preparar los dos platos con antelación y cocerlos al vapor cuando los necesite. Como plato principal, sirva el pescado envuelto en papel de arroz, que puede preparar de antemano y cocer justo antes de servir, y pequeños cuencos de pasta de arroz con el pato a la barbacoa al estilo chino*. Termine con los pastelitos de coco al vapor, que puede preparar 1 día antes y guardar en la nevera hasta el momento de servirlos.

SUGERENCIAS PARA BEBIDAS
La elección más adecuada es el té chino, como el de jazmín o de crisantemo. Si quiere tomar vino, escoja un *riesling* joven para complementar la guindilla y las especias.

banquete oriental para 8

espinacas con sésamo y soja
berenjena con miso rojo
ensalada de pollo con limón al vapor
buey soasado con fideos *soba*
flanes de azúcar de palma al vapor

PREPARACIÓN DE LOS ALIMENTOS
Empiece con las espinacas con sésamo y soja (x 2), que puede preparar fácilmente unas horas antes, y con la berenjena con miso rojo* (x 2). Prepare la ensalada de pollo con limón al vapor y deje en la nevera hasta que la necesite; sírvala con el buey soasado con fideos *soba*. Termine con los aterciopelados flanes de azúcar de palma al vapor, que puede preparar 1 día antes y guardar en la nevera hasta el momento de servir.

SUGERENCIAS PARA BEBIDAS
Una tetera grande de té chino es estupenda para este menú, que también combina con una cerveza seca y fría, un *riesling* o un *sauvignon* blanco.

cena japonesa para 6

tofu *agedashi*
espinacas con sésamo y soja
arroz al vinagre con *sashimi* adobado
buey soasado con fideos *soba*
arroz gelatinoso con mango y lima

PREPARACIÓN DE LOS ALIMENTOS
Empiece con el condimentado tofu *agedashi* y las espinacas con sésamo y soja (x 1½). Puede preparar las espinacas con algunas horas de antelación. Pase al arroz al vinagre con *sashimi* adobado (x 1½) y el buey soasado con fideos *soba* (x 1½). Recuerde que tiene que calcular el tiempo suficiente para preparar la maceración. El arroz gelatinoso con mango y lima, que no es originalmente japonés, puede prepararlo de antemano y cocerlo al vapor cuando lo necesite. Si lleva una vida muy ajetreada y no dispone de mucho tiempo, sirva helado de té verde ya preparado.

SUGERENCIAS PARA BEBIDAS
Un *sake* caliente o frío acompaña muy bien la comida japonesa. Al comprar el *sake* compruebe si se debe beber frío o caliente. También puede servir té verde japonés o una cerveza japonesa seca.

picoteo con bebidas para 10

espinacas con sésamo y soja
tofu *agedashi*
empanadillas de gamba y guindilla
pescado envuelto en papel de arroz
ensalada de pollo con limón al vapor

PREPARACIÓN DE LOS ALIMENTOS
Puede empezar sirviendo las espinacas y el tofu *agedashi* con cucharas chinas para sopa. Ambos platos se pueden preparar con antelación. Fría el tofu justo antes de servir. Sirva las empanadillas en una fuente con cuencos pequeños de pasta de guindilla. El pescado envuelto en papel de arroz puede partirlo en trozos del tamaño de un bocado y la ensalada de pollo puede servirla sobre hojas pequeñas de lechuga romana individuales.

SUGERENCIAS PARA BEBIDAS
Sirva botellas pequeñas de *sake* frío o vasitos con *sake* caliente. Consulte el capítulo de bebidas para sugerencias de cócteles.

almuerzos en el jardín

elementos básicos

Se recomienda siempre consumir las frutas, verduras y hierbas de temporada, ya que es cuando los productos alcanzan el máximo sabor y son más asequibles. Gracias a las nuevas técnicas de cultivo y a los medios de transporte actuales, cada vez es más fácil encontrar todo tipo de productos a lo largo del año. Utilice la siguiente guía indicativa para algunos de sus ingredientes favoritos.

cualquier época

Como resultado de las avanzadas técnicas de cultivo, cada vez hay más frutas y verduras disponibles a lo largo de todo el año. Entre éstas se incluyen las remolachas, los pimientos, las berenjenas y los boniatos.

verano

Desde el penetrante aroma de la albahaca hasta las suculentas frutas con hueso, el verano es la época perfecta para el amante de la fruta y de los arándanos. Para prolongar el disfrute del verano, consérvelos en un ligero almíbar de azúcar o haga mermeladas y *chutneys* para los meses fríos que se avecinan. Entre los favoritos del verano están la albahaca, los arándanos, el maíz, los pepinos, los higos, el ajo, la lechuga, los guisantes, las patatas nuevas, la ensalada verde, las frutas con hueso, las judías serpentiformes, los tomates y los calabacines.

primavera

La primavera ofrece una asombrosa variedad de delicadas verduras verdes. Escalde ligeramente las tiernas verduras jóvenes de primavera para preparar unas sencillas y frescas ensaladas. Entre los productos de primavera están las verduras asiáticas, los espárragos, las judías, las habas, las zanahorias, las alcachofas, los guisantes, la ruqueta y las espinacas.

otoño

El otoño es época de preparación para los meses fríos. Los buenos platos calientes de pasta y los *risottos* ayudan a pasar la transición al invierno. Pruebe las setas y champiñones, el quingombó, las aceitunas, las cebollas, la calabaza y las espinacas durante el otoño.

invierno

El invierno es una época estupenda para las sopas y los platos cocinados a fuego lento que contienen tubérculos y vegetales de la familia *brassica*. Busque las naranjas sanguinas, el brécol, las coles de Bruselas, la col, la coliflor, las variedades de apio, el hinojo, las aguaturmas, los puerros, las chirivías, las patatas, los caquis y los membrillos durante los meses de invierno.

cualquier época

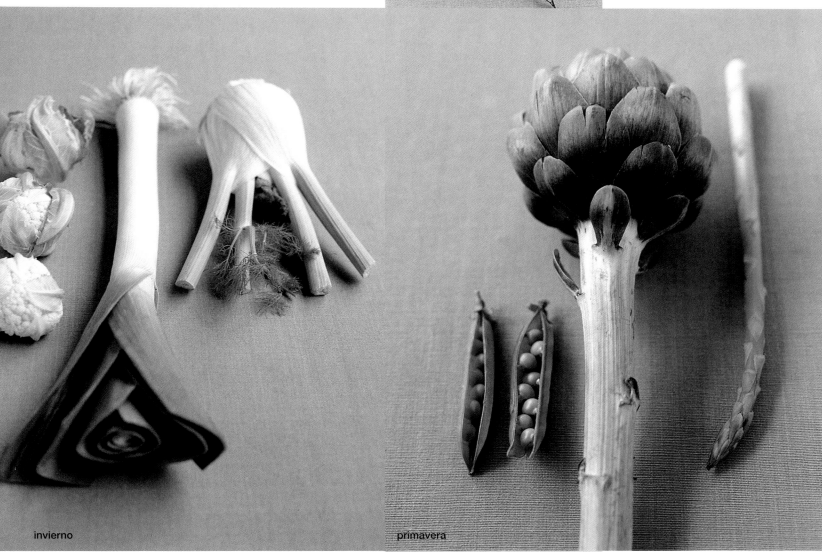

invierno

primavera

otoño

verano

53

queso de yogur de cabra adobado

ensalada de hinojo y champiñones

remolachas maceradas

vieiras con limón y ensalada de menta

queso de yogur de cabra adobado

1 kg de yogur de leche de cabra
1 cucharada de sal marina
2 cucharaditas de pimienta negra triturada
2 cucharadas de tomillo limonero picado
1 guindilla roja, sin semillas y picada

Mezcle el yogur con la sal, la pimienta, el tomillo y la guindilla, y vierta en un cuenco forrado con una doble capa de tela de algodón muy fina. Ate las puntas de la tela. Suspenda el hatillo de un estante de la nevera y coloque un cuenco debajo, para recoger el líquido que pueda gotear, durante 24-48 horas o hasta que la mezcla de yogur esté firme. Retire el yogur y déle forma de pequeñas bolas. Coloque sobre una bandeja, tape sin presionar y deje unas 3-4 horas en la nevera o hasta que estén firmes. Corte las bolas de queso de yogur y sirva con pan tostado a la parrilla. Consúmalas dentro de los 3 días siguientes o guarde las bolas enteras, cubiertas en aceite de oliva, en un frasco esterilizado* en la nevera. Para 10 unidades.

ensalada de hinojo y champiñones

4 champiñones grandes
2 cucharadas de mantequilla derretida
1 cucharada de aceite
150 g de hojas de espinacas tiernas
1 cucharada de hojas de salvia
1 cucharada de corteza de limón cortada en tiras finas
2 bulbos de hinojo pequeños, en rodajitas finas
1/2 taza de aceitunas verdes adobadas
pimienta negra triturada
2 cucharadas de vinagre balsámico

Limpie los champiñones y recorte los tallos. Úntelos con mantequilla y aceite y colóquelos sobre una parrilla caliente precalentada. Deje cocer unos 2 minutos por cada lado. Para servir, ponga un montoncito de hojas de espinacas en cada plato. Espolvoree con unas cuantas hojas de salvia y la corteza de limón y adorne con un champiñón. Decore con el hinojo, las aceitunas y la pimienta por encima. Rocíe con el vinagre balsámico y sirva con pan caliente. Para 4 personas como primer plato.

remolachas maceradas

12 remolachas pequeñas, peladas y recortadas
2 tazas de vinagre de vino blanco
1 taza de agua
1/2 taza de azúcar
1 cucharada de semillas de cilantro
2 cucharadas de tiras de piel de naranja
2 cucharadas de ramitos de eneldo

Cueza las remolachas en una cacerola de agua hirviendo unos 6 minutos o hasta que estén tiernas; después escúrralas y quíteles la piel.
Ponga el vinagre, el agua, el azúcar, las semillas de cilantro y las tiras de piel de naranja en una cacerola no reactiva* y lleve la mezcla a ebullición. Retire la cacerola del fuego e incorpore la remolacha y el eneldo. Deje enfriar. Guarde las remolachas y el adobo en frascos esterilizados en la nevera. Las remolachas adobadas quedan estupendas con pan y queso de corteza lavada. Para 1 frasco de tamaño medio.

vieiras con limón y ensalada de menta

24 vieiras
pimienta negra triturada
aceite de oliva
2 cucharaditas de ralladura de limón
ensalada
2 tazas de hojas de menta
1/2 taza de hojas de menta vietnamita
1 manojo de hojas de ruqueta
1/4 de taza de zumo de limón
1 guindilla roja, sin semillas y picada
2 cucharaditas de jengibre rallado
1 cucharada de aceite vegetal

Mezcle las vieiras con un poco de pimienta, aceite de oliva y ralladura de limón y deje reposar durante 5 minutos. Combine las mentas y la ruqueta y disponga sobre platos de servir. Mezcle el zumo de limón, la guindilla, el jengibre y el aceite. Precaliente una sartén a fuego vivo. Ponga las vieiras en la sartén y fría unos 10 segundos por cada lado o hasta que estén soasadas. Ponga las vieiras con la ensalada y rocíe con el aliño de limón. Para 4-6 personas como primer plato.

cebolletas encurtidas

24 cebolletas o cebollas pequeñas para encurtir
5 tazas de vinagre de vino blanco
6 cucharadas de azúcar
1 cucharadita de semillas de comino
8 ramitas de eneldo
4 ramitas de mejorana
4 guindillas rojas, partidas por la mitad y sin semillas
1 cucharadita de granos de pimienta negra

Pele y recorte los extremos de las cebollas y reserve. Ponga el vinagre y el azúcar en una cacerola no reactiva* y lleve la mezcla a ebullición. Una vez hierva el vinagre, incorpore las cebollas, las semillas de comino, el eneldo, la mejorana, las guindillas y los granos de pimienta. Deje a fuego suave unos 6-8 minutos o hasta que las cebollas estén tiernas. Vierta en un frasco esterilizado* y selle con una tapa que no sea metálica. Deje reposar las cebollas un mínimo de 2 días antes de servirlas. Para 1 frasco grande.

endibia a la parrilla con parmesano y acederas

4 endibias partidas por la mitad
sal marina
1 taza de hojas tiernas de acedera
1/4 de taza de perejil de hoja plana
3 cucharadas de zumo de limón
1 cucharada de azúcar
pimienta negra triturada
1/2 taza de queso parmesano rallado

Lleve una cacerola de agua a ebullición y ponga la endibia con un poco de sal. Deje cocer unos 4 minutos o hasta que esté tierna, y después escúrrala bien.
Ponga las hojas de acedera y el perejil entre las hojas de la achicoria. Coloque sobre una bandeja para el horno y rocíe con el zumo de limón; espolvoree con el azúcar, la pimienta y el parmesano. Coloque bajo el grill caliente precalentado y deje unos 4-6 minutos o hasta que estén doradas. Sirva la achicoria con rodajas de salmón ahumado y ensalada verde. Para 4 personas.

espárragos con salsa de mantequilla oscura a las hierbas

750 g de espárragos, sin punta y partidos por la mitad
90 g de mantequilla
pimienta negra triturada
2 cucharadas de hojas de salvia
2 cucharadas de hojas de orégano
2 cucharadas de hojas de mejorana
1 cucharada de zumo de limón
pasta de guindilla para servir
virutas de queso parmesano para servir

Cueza los espárragos en una vaporera o en agua hirviendo hasta que estén tiernos; después escúrralos.
Para preparar la salsa, ponga la mantequilla, la pimienta, la salvia, el orégano y la mejorana en una cacerola a fuego medio y deje unos 4-6 minutos o hasta que la mantequilla tenga un color dorado oscuro. Retire la cacerola del fuego y agregue el zumo de limón.
Disponga los espárragos sobre un montón de pasta de guindilla. Ponga cucharadas de salsa de mantequilla oscura sobre la pasta y los espárragos y sirva con unas virutas de parmesano. Para 6 personas como entrante o para 4 como plato principal.

chutney de pera, jengibre y guindilla

1 kg de peras, peladas, sin corazón y picadas
1/4 de taza de jengibre cortado en tiras finas
6 guindillas rojas, sin semillas y picadas
2 cebollas finamente picadas
3 cucharadas de cilantro picado
2 hojas de lima kafir*
2 1/2 tazas de vinagre de sidra
1 taza de azúcar moreno
1 taza de azúcar blanco
pimienta negra triturada y sal marina

Ponga las peras, el jengibre, las guindillas, las cebollas, las hojas de lima kafir, el vinagre y los azúcares en una cacerola no reactiva* a fuego alto. Lleve la mezcla a ebullición, después baje la temperatura y deje cocer unos 30 minutos o hasta que el chutney esté espeso, removiendo de vez en cuando y retirando la espuma que se forme en la superficie. Pruébelo antes de añadir sal y pimienta.
Vierta el chutney en frascos esterilizados* y selle. Sirva con bocadillos o con carnes asadas o a la parrilla. Para 1 frasco grande.

cebolletas encurtidas

espárragos con salsa de mantequilla oscura a las hierbas

endibia a la parrilla con parmesano y acederas

chutney de pera, jengibre y guindilla

sopa de guisantes

tomates rellenos y tostadas con albahaca

sopa de guisantes

2 corvejones de jamón ahumado, partidos por la mitad
3 litros de agua
1 ¹/₂ tazas de vino blanco seco
12 cebollas muy pequeñas
3 hojas de laurel
1 cucharadita de granos de pimienta negra
2 tazas de guisantes frescos
1 taza de apio o chirivía cortado en tiras finas
1 cucharada de hojas de menta
1 cucharada de ramitas de perifollo

Quite la piel y cualquier grasa visible de los corvejones. Póngalos en una olla grande con el agua, el vino, las cebollas, las hojas de laurel y los granos de pimienta. Lleve a ebullición, baje la temperatura y deje durante 1 hora. Cuele el caldo con un colador fino.
Retire las cebollas, lávelas y córtelas por la mitad. Ponga la carne sin hueso y las cebollas en una cacerola limpia. Agregue el caldo colado y lleve a ebullición. Añada los guisantes y el apio y deje a fuego suave unos 5 minutos o hasta que las verduras estén tiernas. Sirva la sopa en cuencos espolvoreada con la menta y el perifollo. Acompañe con tostadas. Primer plato para 4-6 personas.

tomates rellenos y tostadas con albahaca

4 tomates de huerta maduros
4 quesos *bocconcini* o 300 g de *mozzarella*, en rodajas
¹/₃ de taza de virutas de queso parmesano
¹/₂ taza de hojas de albahaca
¹/₂ taza de vinagre balsámico
3 cucharadas de aceite de oliva virgen extra
2 cucharaditas de azúcar moreno
sal marina y pimienta negra triturada
ensalada verde mixta
tostadas con albahaca
12 rebanadas de hogaza crujiente
aceite de oliva extra
1 manojo de albahaca grande

Haga unos cortes en la parte superior de los tomates y deje las bases intactas. Rellénelos con *bocconcini* o *mozzarella* ahumada, parmesano y albahaca. Mezcle el vinagre balsámico, el aceite de oliva, el azúcar, la sal y la pimienta y vierta por encima de los tomates. Deje reposar un mínimo de 20 minutos.
Para preparar las tostadas con albahaca, unte el pan con el aceite de oliva extra y tueste bajo el grill hasta que las rebanadas estén doradas por ambos lados. Coja un puñado grande de hojas de albahaca y frote con ellas las tostadas. Para servir, ponga la ensalada verde en platos individuales y los tomates encima. Sirva los tomates con las tostadas calientes y montones de pimienta triturada. Para 4 personas.

tarta de frutas estivales

unos 350 g de pasta quebrada dulce*
leche
azúcar moreno
relleno
2 melocotones cortados en rodajas
200 g de frambuesas
3 ciruelas cortadas en rodajas
200 g de arándanos
1 cucharada de harina

Extienda la masa sobre una superficie ligeramente enharinada hasta que tenga un grosor de 3 mm. Coloque en un molde para tartas de 23 cm de diámetro y deje un borde extra de unos 8-10 cm; guarde en la nevera hasta que la necesite.
Para el relleno, mezcle los melocotones con las frambuesas, las ciruelas, los arándanos y la harina. Ponga la fruta sobre la base de la tarta y doble el borde hacia arriba para asegurar el relleno. Deje en la nevera unos 20 minutos o hasta que la masa esté firme. Pinte la masa con un poco de leche y espolvoree bien con azúcar.
Hornee la tarta en el horno precalentado a 200º C durante 20 minutos o hasta que la pasta esté dorada y la fruta blanda. Sirva caliente o fría con nata líquida espesa. Para 8-10 personas.
Nota: si hace usted mismo la masa, utilice 30 g menos de mantequilla y una cantidad mayor de agua helada para que quede más firme.

pastel de limón ácido

125 g de mantequilla
³/₄ de taza de azúcar de lustre
1 ¹/₂ cucharadas de ralladura de limón
2 huevos ligeramente batidos
1 ¹/₂ tazas de harina con levadura
¹/₂ taza de crema agria
¹/₂ taza de zumo de limón

Ponga la mantequilla, el azúcar y la ralladura de limón en el vaso de una batidora eléctrica y bata hasta obtener una consistencia ligera y cremosa. Agregue los huevos y bata bien. Incorpore la harina, la crema agria y el zumo de limón a la mezcla.
Ponga la pasta inmediatamente en un molde cuadrado de 20 cm, engrasado y forrado, y hornee en el horno precalentado a 180º C durante 40 minutos o hasta que, al probar con un pincho de cocina, observe que el pastel está listo. Córtelo en porciones y sírvalo caliente con nata líquida espesa. Para 8-10 personas.

pastel de limón ácido ▶

tarta de frutas estivales

ideas para menús

almuerzo de domingo para 4

remolachas maceradas
vieiras con limón y ensalada de menta
tarta de frutas estivales

PREPARACIÓN DE LOS ALIMENTOS
Puede preparar las remolachas maceradas hasta 3-4 días antes
de servirlas con queso de corteza lavada y pan tostado. Prepare
la ensalada la misma mañana del día del almuerzo y soase las vieiras
justo antes de servirlas. Como postre sirva la tarta de frutas estivales
con nata líquida espesa. Puede preparar la tarta por la mañana,
antes de que lleguen sus invitados.

SUGERENCIAS PARA BEBIDAS
Sirva un *semillon* o un *chardonnay* añejo con las remolachas
maceradas. Para las vieiras también resulta muy adecuado un
semillon o bien un *sauvignon* blanco. Sirva la tarta con el vino dulce
que prefiera o un vaso de Oporto y café para una tranquila
sobremesa.

almuerzo a base de tapas para 6

remolachas maceradas
queso de yogur de cabra adobado
cebolletas encurtidas
endibia a la parrilla con parmesano y acederas
vieiras con limón y ensalada de menta
pastel de limón ácido

PREPARACIÓN DE LOS ALIMENTOS
Casi todos los platos de este almuerzo se pueden preparar con
bastante antelación. Ponga una mesa al estilo "bufet libre" con las
remolachas maceradas, el queso de yogur, las cebolletas
encurtidas, la endibia a la parrilla y las vieiras con limón y la ensalada
de menta. Esto permitirá que los invitados puedan escoger los platos
que deseen. Asegúrese de tener pan suficiente y algunos quesos
extra para completar la oferta. Prepare el pastel de limón el día
anterior y guárdelo en un recipiente hermético. Cuando esté listo
para servir, córtelo en porciones y sírvalo con nata líquida espesa.

SUGERENCIAS PARA BEBIDAS
Con los platos adobados de sabor intenso sirva un *chardonnay*
con ligero gusto a madera como vino blanco y un buen *pinot noir*
como vino tinto. El pastel resulta delicioso con un buen *brandy*
de manzana o de pera y un café solo.

almuerzo primaveral ligero para 8

ensalada de hinojo y champiñones
espárragos con salsa de mantequilla oscura a las hierbas

PREPARACIÓN DE LOS ALIMENTOS
Empiece con la ensalada de hinojo y champiñones (x 2) y
con un poco de pan de *pita* o similar para acompañar.
A continuación, sirva los espárragos (x 1^1/2 -2) sobre un lecho de
pasta de guindilla. Como postre puede servir una fuente de fruta
fresca rociada con lima y azúcar de palma o un chorrito de *riesling*.

SUGERENCIAS PARA BEBIDAS
Sirva el agua mineral con gas con un poco de tomillo limonero
y unas rodajitas de lima o un concentrado de fruta fresca (consulte
el capítulo *Comida para picnics*, pág 84). Si desea tomar vino, un
sauvignon blanco fresco es ideal.

almuerzo formal en el jardín para 10

sopa de guisantes
tomates rellenos y tostadas con albahaca
espárragos con salsa de mantequilla oscura a las hierbas
tarta de frutas estivales

PREPARACIÓN DE LOS ALIMENTOS
Empiece con la sopa de guisantes (x 2), que puede preparar con
antelación y calentar un poco antes de servir. Después ofrezca
como primer plato los tomates rellenos y las tostadas con
albahaca (x 2), que puede preparar algunas horas antes.
A continuación, sirva los espárragos con salsa de mantequilla
oscura a las hierbas (x 2) y termine con la tarta de frutas estivales
con un helado de vainilla. Prepare la pasta para la tarta el día
anterior y déjela en la nevera hasta que vaya a hornearla.

SUGERENCIAS PARA BEBIDAS
Un vino blanco espumoso, un *riesling* refrescante o un limpio
sauvignon blanco quedan bien con la sopa de guisantes;
asimismo, un *chardonnay* acompaña bien los tomates. Siga
con el *chardonnay* o bien un *pinot noir* especiado para tomar
con los espárragos. Acompañe la tarta con un *riesling* de uva
tardía frío y café.

parrilla

elementos básicos

Existen varias maneras de preparar parrilladas, desde la tradicional barbacoa en el jardín hasta la parrilla convencional que se coloca sobre la encimera o la plancha eléctrica. Precisamente, debido a la variedad de opciones que permiten cocinar a la parrilla dentro de casa, hoy día ya no es necesario esperar a los meses cálidos y al buen tiempo para organizar una "barbacoa". Si cocina a la parrilla dentro de casa recuerde que la cocina debe estar bien ventilada.

manojos de hierbas

Para evitar que se derrita el pincel de cocina para untar, utilice un manojo de hierbas atado con un cordel para sumergir en el aceite de cocción y pintar con él la parrilla o barbacoa. Para reducir la cantidad de humo de la parrilla (especialmente si cocina dentro de casa), unte los alimentos en vez de la parrilla. Utilice hierbas resistentes, como el romero, el tomillo, el tomillo limonero, el orégano o la mejorana.

barbacoas

Existen muchas variedades. Algunas tienen parrillas y planchas combinadas con rocas volcánicas, bolitas que desprenden calor o carbón. Las virutas de madera o las que se utilizan para ahumar son estupendas para preparar alimentos ahumados en el interior de la casa, ya que están cubiertas. Las barbacoas son muy útiles para preparar pescados de gran tamaño, mientras que las cubiertas resultan ideales para los grandes asados.

parrillas

Las planchas o parrillas eléctricas sueltas o las que van incorporadas a la cocina, tanto de gas como eléctricas, son buenas alternativas a la barbacoa exterior. Cuando las utilice dentro de casa, acuérdese de abrir la ventana o de encender la campana extractora.

pinzas

Si está preparando una buena cantidad de comida a fuego vivo, utilice las pinzas más largas para darle la vuelta a las salchichas, bistecs, pescado y hamburguesas en la barbacoa o parrilla. Evite dejarlas sobre una superficie caliente porque absorben el calor muy rápidamente y podría quemarse al ir a cogerlas.

planchas

Son estupendas para utilizar en casa y a veces resultan más convenientes que las barbacoas exteriores. Se venden lisas, tipo plancha grande o sartén, para utilizar en la encimera. Las planchas grandes pueden abarcar dos fogones, así que compruebe el tamaño antes de comprarla. Normalmente están hechas de hierro colado, pero algunas también son de acero ligero con un recubrimiento antiadherente.

plancha

parrilla

manojo de hierbas

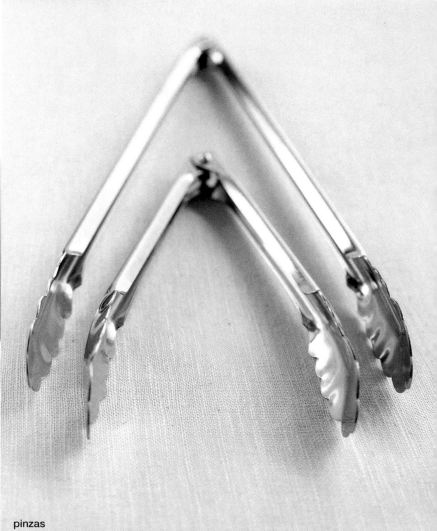

pinzas

barbacoa

69

puré de berenjena ahumada y alubias y pan de pita a la parrilla con romero y sal marina

pez espada a la plancha con hojas de vid

puré de berenjena ahumada y alubias

2 berenjenas
2 dientes de ajo sin pelar
1 taza de alubias blancas cocidas
1/3 de taza de aceite de oliva
1 cucharada de *tahini**
1/4 de cucharadita de comino molido
1/4 de taza de zumo de limón
2 cucharadas de perejil picado de hoja plana
1 cucharada de menta picada
sal marina y pimienta

Ponga las berenjenas y el ajo sobre una plancha caliente precalentada y déjelos unos 6-8 minutos o hasta que la piel esté bien chamuscada y la carne blanda. Pele las berenjenas y los ajos y ponga la carne en una picadora o batidora con las alubias, el aceite, el *tahini*, el comino y el zumo de limón y bata hasta que esté suave. Añada el perejil, la menta, la sal y la pimienta a la mezcla. Sirva con pan caliente a la parrilla. Para 6-8 personas como primer plato.

berenjena a la plancha con ensalada de menta

2 berenjenas en rodajas
2 bulbos pequeños de hinojo, en rodajas
2 calabacines en rodajas
aceite de oliva
150 g de *haloumi**, en rodajas
1/2 taza de menta cortada en tiras
3 cucharadas de zumo de limón
2 cucharadas de perejil de hoja plana picado
1 cucharada de miel
pimienta negra triturada

Pinte las rodajas de berenjena, hinojo y calabacín con un poco de aceite de oliva, coloque sobre una parrilla caliente precalentada y deje 1-2 minutos por cada lado o hasta que estén tiernas. Unte las rodajas de *haloumi* con un poco de aceite, póngalas sobre una plancha o sartén caliente y déjelas durante 1 minuto por cada lado o hasta que estén doradas.
Disponga las verduras y el *haloumi* en platos individuales y espolvoree con la menta. Mezcle el zumo de limón con el perejil, la miel y la pimienta y aliñe la ensalada con esta mezcla. Sirva con pan. Para 4-6 personas como primer plato.

pez espada a la plancha con hojas de vid

4 rodajas de pez espada
2 cucharaditas de ralladura de limón
1 diente de ajo machacado
2 cucharadas de perejil de hoja plana picado
2 cucharadas de aceite de oliva
8 hojas de vid frescas o en salmuera
aceite de oliva extra

Recorte la piel del pescado, límpielo y séquelo con papel absorbente. Mezcle la ralladura de limón con el ajo, el perejil y el aceite de oliva y unte ambos lados de las rodajas de pescado con esta mezcla. Coloque una hoja de vid a cada lado del pescado y doble los bordes hacia dentro para que queden sujetas. Ponga el pescado sobre una bandeja y unte las hojas con un poco de aceite.
Coloque la bandeja bajo el grill caliente y deje unos 2-3 minutos por cada lado o hasta que el pescado esté tierno. Sirva el pescado con una ensalada de espinacas y gajos de limón. Para 4 personas.

pan de pita a la parrilla con romero y sal marina

1 cucharadita de levadura seca activa
2 1/2 tazas de agua caliente
3 1/2 tazas de harina integral
2 cucharaditas de sal marina
1 cucharada de aceite de oliva
2 1/2-3 tazas de harina blanca
aderezo
aceite de oliva y sal marina
hojas de romero

En un cuenco, deslía la levadura con agua, viértala, junto con la harina integral, en el vaso de una batidora eléctrica equipada con un brazo de amasar y bata bien. Tape la masa con plástico y deje reposar en un lugar caliente durante 1 h. Ponga la sal marina y el aceite en el vaso de la batidora y bata con el brazo de amasar hasta que estén bien mezclados. Con el motor en marcha vaya añadiendo gradualmente la harina blanca hasta que se forme una masa suave. Después trabájela con el brazo de amasar durante 8 minutos. Tape la masa con plástico y deje reposar hasta que haya subido (tardará unas 2 horas). Divídala en 16 porciones y forme una bola con cada una de ellas. Extienda las bolas con el rodillo sobre una superficie ligeramente enharinada hasta que tengan un grosor de 4 mm. Pinte un lado de la masa con un poco de aceite de oliva y espolvoree con la sal y las hojas de romero. Deje que la masa suba durante 10 minutos. Coloque los panes sobre una parrilla o barbacoa caliente precalentada y déjelos 1 minuto por cada lado o hasta que se hinchen y estén dorados. Para 16 unidades.

berenjena a la plancha con ensalada de menta

salchicha de buey con ruqueta especiada

hamburguesas de buey con tomate y guindilla fritos

calamar salpimentado con guindilla

salmón *kafir* con limas a la parrilla

gambas al cilantro con *bok choy* a la miel

hamburguesas de buey con tomate y guindilla fritos

500 g de carne de buey picada
2 cucharadas de salsa Worcestershire
1 diente de ajo machacado
2 cucharadas de mostaza de Dijon
2 cucharadas de cilantro picado
1 cebolla cortada en rodajas
2 tomates verdes en rodajas
2 guindillas verdes no muy picantes, en rodajitas
2 cucharadas de aceite
ensalada verde
4 panecillos partidos por la mitad y tostados

Mezcle la carne picada con la salsa Worcestershire, el ajo, la mostaza y el cilantro. Divida en 4 partes y déle forma a las hamburguesas. Coloque éstas y las rodajas de cebolla sobre una parrilla caliente precalentada.
Ponga los tomates y las guindillas sobre una parrilla caliente. Unte la cebolla, los tomates y las guindillas con aceite. Deje las hamburguesas, la cebolla, los tomates y las guindillas en la parrilla unos 3 minutos por cada lado o hasta que las verduras estén bien doradas y las hamburguesas hechas. Ponga la ensalada sobre la mitad inferior de los panecillos y añada las cebollas, las hamburguesas, los tomates y las guindillas. Tape el panecillo con la parte superior y sirva. Para 4 personas.

salchicha de buey con ruqueta especiada

750 g de salchichas picadas
250 g de carne de buey picada
2 tazas de ruqueta cortada en tiras finas
3 cucharadas de mostaza sin semillas
1 diente de ajo machacado
2 cucharadas de tomillo picado
pimienta negra triturada
pieles de salchicha

Mezcle la carne picada de las salchichas, la de buey, la ruqueta, la mostaza, el ajo, el tomillo y la pimienta. Ponga la mezcla en una manga de boquilla grande.
Encaje la piel de la salchicha en la boquilla y frunza hasta llegar al extremo. Inserte la carne picada dentro de la piel, dejando que ésta se deslice desde la boquilla al ir entrando la carne. Déle una vuelta a la salchicha a intervalos regulares para formar salchichas individuales. Déjelas en la nevera unas 4 horas o toda la noche.
Para cocinarlas, póngalas en una cacerola con agua fría. Lentamente caliente el agua, sin que llegue a hervir, y después retire las salchichas y escúrralas. Áselas sobre una parrilla o barbacoa caliente precalentada a temperatura media, hasta que estén bien hechas. Sirva con un *chutney* especiado y cebolla a la parrilla. Para 4-6 personas.

calamar salpimentado con guindilla

3 guindillas rojas, sin semillas y picadas
1 cucharada de sal marina
1 cucharadita de pimienta negra triturada
12 calamares pequeños, limpios y partidos por la mitad
2 cucharadas de aceite
100 g de fideos de arroz
3 cucharadas de salsa de soja
2 cucharadas de zumo de lima
3 cucharadas de hojas de cilantro
1 cucharada de azúcar moreno
2 cucharaditas de salsa de pescado

Mezcle las guindillas, la sal y la pimienta en un cuenco. Unte ligeramente el calamar con aceite y presione contra la mezcla de guindilla para rebozar ambos lados. Reserve. Ponga los fideos de arroz en un cuenco y vierta agua hirviendo por encima. Deje reposar unos 5 minutos o hasta que estén blandos; a continuación, escúrralos. Mezcle los fideos con la salsa de soja, el zumo de lima, el cilantro, el azúcar y la salsa de pescado. Colóquelos en boles individuales.
Para preparar el calamar, caliente una parrilla o sartén a temperatura alta. Deje el calamar unos 10-15 segundos por cada lado. Coloque encima de los fideos y sirva. Para 4 personas.

salmón *kafir* con limas a la parrilla

4 hojas de lima *kafir**, cortadas en tiras finas
2 cucharadas de zumo de lima
2 cucharaditas de jengibre rallado
2 cucharaditas de aceite de sésamo
2 cucharaditas de aceite de guindilla
4 filetes de salmón de 185 g cada uno
4 limas partidas por la mitad
ensalada verde para acompañar

Mezcle las hojas de lima, el zumo, el jengibre, el aceite de sésamo y la guindilla y vierta sobre el salmón. Deje en adobo unos 10 minutos. Ponga el salmón y las mitades de lima, con el lado de la pulpa hacia abajo, sobre una parrilla caliente precalentada y deje durante 1 minuto por cada lado o hasta que el salmón esté a su gusto. Sirva con la ensalada verde y un aliño suave de limón. Para 4 personas.

bistec en adobo balsámico

brochetas de pollo a las hierbas

gambas al cilantro con *bok choy* a la miel

750 g de gambas grandes
1/4 de taza de cilantro picado
2 cucharadas de zumo de lima
2 cucharaditas de aceite de sésamo
1 guindilla verde, sin semillas y picada
1 cucharada de menta picada
bok choy a la miel
400 g de *baby bok choy*
3 cucharadas de miel
3 cucharadas de vino chino para cocinar *(shao hsing)*
1 cucharada de semillas de sésamo
3 cucharadas de salsa de ostras

Quite las cabezas de las gambas, retire el hilo intestinal y deje las colas intactas. Ensarte cada gamba en una brocheta. Mezcle el cilantro con el zumo de lima, el aceite de sésamo, la guindilla y la menta y vierta sobre las gambas. Deje en maceración como mínimo 10 minutos.
Para preparar el *bok choy* a la miel, cuézalo en una olla de agua hirviendo durante 30 segundos y después escúrralo. Ponga la miel, el vino, las semillas de sésamo y la salsa de ostras en una sartén a fuego medio y deje unos momentos. Incorpore el *bok choy* a la sartén y deje durante 1 minuto. Para cocer las gambas, póngalas sobre una barbacoa, parrilla o sartén caliente y deje durante 1-2 minutos por cada lado o hasta que estén cocidas. Para servir, ponga el *bok choy* en platos individuales y adorne con las gambas. Para 4-6 personas como primer plato.

bistec en adobo balsámico

4 bistecs o filetes
ensalada verde
adobo
1/3 de taza de vinagre balsámico
1/3 de taza de aceite de oliva
2 cucharadas de albahaca cortada en tiras
1 cucharadita de pimienta negra triturada
2 trozos de piel de limón
2 dientes de ajo cortados en láminas

Retire el exceso de grasa de la carne. Para el adobo mezcle el vinagre balsámico con el aceite, la albahaca, la pimienta, la piel de limón y el ajo. Deje los bistecs en el adobo durante un mínimo de 30 minutos.
Para asarlos, precaliente una parrilla, barbacoa o sartén a temperatura muy alta. Ase la carne, procurando que quede bien tapada, hasta que esté a su gusto. Para servir, ponga la ensalada verde en platos individuales con los bistecs encima. Para 4 personas.

brochetas de pollo a las hierbas

4 filetes de pechuga de pollo
1/4 de taza de ramitas de romero
1/4 de taza de ramitas de orégano
10 guindillas rojas no muy picantes, partidas y sin semillas
3 cucharadas de zumo de limón
3 cucharadas de salsa de soja
2 cucharadas de aceite de sésamo
2 dientes de ajo machacados
2 cucharaditas de jengibre rallado
1 cucharada de azúcar moreno

Corte el pollo en tiras finas. Ensártelo en las brochetas alternando con las ramitas de romero, el orégano y las guindillas. Mezcle el zumo de limón con la salsa de soja, el aceite de sésamo, el ajo, el jengibre y el azúcar y vierta por encima de las brochetas. Deje macerar el pollo unos 20 minutos.
Ponga las brochetas sobre una parrilla caliente y deje unos 2 minutos por cada lado o hasta que la carne esté cocida. Sirva con ensalada verde. Para 4 personas.

sardinas al limón y a la pimienta de Szechwan

12 sardinas frescas sin espinas y abiertas por la mitad
2 chirivías peladas
aceite para freír
sal marina
adobo
3 cucharadas de zumo de limón
2 cucharadas de granos de pimienta de Szechwan*, tostados
2 cucharadas de aceite de oliva
2 cucharadas de albahaca tailandesa cortada en tiras

Limpie las sardinas y seque con papel absorbente. Para el adobo mezcle el zumo de limón con los granos de pimienta machacados, el aceite de oliva y la albahaca. Vierta por encima de las sardinas y deje macerar unos 20 minutos. Corte las chirivías en láminas finas. Caliente aceite en una cacerola y fría las láminas de chirivía, en tandas, hasta que estén doradas y crujientes. Escurra sobre papel absorbente y manténgalas calientes en el horno.
Para asar las sardinas precaliente una parrilla, barbacoa o sartén a fuego vivo. Deje 1-2 minutos por cada lado o hasta que estén tiernas. Coloque la chirivía en platos individuales, espolvoree con sal y añada las sardinas encima.
Para 4 personas como primer plato.

sardinas al limón y a la pimienta de Szechwan

sorbete de tequila y pomelo rosado

mango a la parrilla con praliné de coco

sorbete de tequila y pomelo rosado

1 taza de zumo de lima
1 cucharada de ralladura fina de lima
1 1/4 tazas de azúcar
3 tazas de zumo embotellado de pomelo rosado
1/4 de taza de tequila

Ponga el zumo de lima, la ralladura y el azúcar en una cacerola. Remueva la mezcla a fuego suave hasta que se haya disuelto el azúcar. Vierta el zumo de pomelo, la mezcla de azúcar y el tequila en un cuenco y remueva para mezclar bien. Vierta en una heladora y siga las instrucciones del fabricante para hacer el sorbete.
Si lo desea, también puede poner la mezcla en un cuenco y dejarla 1 hora en el congelador. Remueva el sorbete y deje 1 hora más en el congelador. Vuelva a remover y deje en el congelador hasta que se solidifique. Saque el sorbete con un cacillo para helados. Para 6 personas.

peras con yogur y sirope de arce

2 peras cortadas en láminas
60 g de mantequilla derretida
1/3 de taza de azúcar moreno
1 taza de yogur espeso
1/4 de taza de sirope de arce

Pinte las láminas de pera con el azúcar moreno. Colóquelas sobre una plancha caliente precalentada o sartén y deje durante 1 minuto por cada lado o hasta que estén doradas. Para servir, apile las láminas en platos individuales. Adorne las peras con una cucharada de yogur y rocíe con el sirope de arce. Para 4 personas.

mango a la parrilla con praliné de coco

2 mangos
1 cucharada de zumo de lima
praliné de coco
1 taza de azúcar
1/2 taza de agua
1 taza de coco rallado tostado

Para preparar el praliné de coco ponga el azúcar y el agua en un cazo a fuego suave y remueva hasta que se haya disuelto el azúcar. Deje a fuego suave unos 5-7 minutos o hasta que el líquido tenga un color dorado pálido. Extienda el coco sobre una bandeja para el horno y cubra con el almíbar de azúcar. Deje reposar el praliné unos 5 minutos o hasta que esté duro; a continuación, rómpalo en trozos pequeños. Parta los mangos y píntelos con zumo de lima. Ponga sobre una parrilla caliente precalentada, con el lado de la pulpa hacia abajo, y deje unos 3 minutos o hasta que estén dorados y calientes.
Para servir, ponga el mango en platos individuales y acompáñelo con el praliné de coco. Para 4 personas.

peras con yogur y sirope de arce

ideas para menús

barbacoa para 8

calamar salpimentado con guindilla
brochetas de pollo a las hierbas
bistec en adobo balsámico
berenjena a la plancha con ensalada de menta
sorbete de tequila y pomelo rosado

PREPARACIÓN DE LOS ALIMENTOS

Hay dos platos que son estupendos como entrante informal:
el calamar salpimentado con guindilla y las brochetas de pollo
a las hierbas. Prepárelos de antemano, déjelos en la nevera y
hágalos a la barbacoa cuando los necesite.
Deje macerar los bistecs (x 2) hasta 2 horas antes de hacerlos a
la barbacoa; también puede preparar con antelación la berenjena
a la plancha. Sirva los platos principales acompañados de un
cuenco de ensalada verde y una selección de mostazas y
chutneys. Redondee con el sorbete de tequila y pomelo rosado,
que puede preparar hasta 2 días antes de consumirlo.

SUGERENCIAS PARA BEBIDAS

Es agradable disponer de abundante agua fría, con o sin gas,
cuando se está sentado al sol al aire libre. Algunos dicen que
no hay nada mejor que una buena cerveza helada para una
barbacoa, pero si se atreve, pruebe un *riesling* o un *sauvignon*
blanco con el primer plato y un *cabernet sauvignon* o un *pinot noir*
especiado y de sabor intenso con los bistecs. Para los más osados,
unos cuantos chupitos de tequila con el sorbete no vendrán mal.

cena marinera para 4

sardinas al limón y a la pimienta de Szechwan
pez espada a la plancha con hojas de vid
mango a la parrilla con praliné de coco

PREPARACIÓN DE LOS ALIMENTOS

Empiece con las estupendas texturas y sabores de las sardinas
al limón y a la pimienta de Szechwan*. Continúe con el pez
espada a la plancha con hojas de vid y un poco de ensalada
verde aliñada con limón y aceite de oliva. Puede preparar el pez
espada con antelación y hacerlo a la barbacoa cuando desee.
Termine con el mango a la parrilla con praliné de coco. Puede
prepararlo antes y guardarlo en un recipiente hermético; procure
dejarlo en un sitio seco.

SUGERENCIAS PARA BEBIDAS

Algunas de las nuevas aguas minerales con extracto de frutas
o hierbas son muy agradables para empezar. Las suculentas
sardinas quedan estupendas con un *semillon* añejo o un
chardonnay con ligero sabor a madera. Siga con el *semillon* o
cambie a un *riesling* seco para el pez espada; termine con un vino
de postre dulce y floral y un café.

parrillada nocturna al aire libre para 6

pan de pita a la parrilla con romero y sal marina
puré de berenjena ahumada y alubias
gambas al cilantro con *bok choy* a la miel
salmón *kafir* con limas a la parrilla
sorbete de tequila y pomelo rosado

PREPARACIÓN DE LOS ALIMENTOS

Empiece con los panes de pita a la parrilla con romero y sal marina
junto con el puré de berenjena ahumada y alubias. Prepare el puré
y las pitas con antelación. Ponga las pitas en el congelador para
evitar que la levadura siga fermentando* el pan. Como primer plato
quedan muy bien unas porciones pequeñas de gambas al cilantro
con *bok choy* a la miel; después puede pasar al salmón *kafir* con
limas a la parrilla (x 1½). Termine con el sorbete de tequila y
pomelo rosado, que puede preparar hasta con 2 días de
antelación. Para servir el sorbete en una noche calurosa, ponga
unas cucharadas en boles helados, o bien, si tiene espacio en la
nevera, vuelva a congelar el sorbete en los mismos cuencos de
servir.

SUGERENCIAS PARA BEBIDAS

Un blanco espumoso siempre es una buena manera de empezar
una noche al aire libre. Al final de la jornada, a algunas personas
les puede apetecer una buena cerveza fría. Tanto las gambas
como el salmón combinan bien con un *chenin* o un *sauvignon*
blancos. El postre puede acompañarse con un poco de tequila
extra; también puede servir café y algún licor después del sorbete.

SANDWICH
BOX

comida para un *picnic*

elementos básicos

Para asegurarse de que la comida llega a su destino en las mejores condiciones posibles, procure elegir unos recipientes adecuados. Si, por ejemplo, ha horneado unas *frittatas* en moldes para *muffins*, será mejor transportarlas en los propios moldes, envueltos con un paño limpio y con un nudo en los extremos como asa. Pregunte a su abuela si todavía guarda algún molde antiguo para pasteles con una tapa que ajuste bien. ¡Son muy útiles!

recipientes con tapa

Compruebe que tiene el recipiente adecuado para lo que necesita. Algunas tapas sellan pero no son herméticas. Esto podría ser un desastre si piensa transportar algún plato con aliño o salsa. Para comprobar si el recipiente queda cerrado herméticamente, llénelo hasta la mitad con agua, tápelo y, encima del fregadero, póngalo de lado y al revés y agite bien. Si no cae agua, entonces la comida estará a salvo.

utensilios

Según si el *picnic* es más o menos formal, es posible que tenga que llevar cristalería, platos y otros objetos frágiles. Procure envolverlos individualmente con las servilletas y ponga la cubertería dentro de los aros para cubiertos para mantener todo en su lugar.

neveras portátiles

Estas neveras son estupendas si va a salir en un día caluroso. Llénela de hielo o bolsas refrigeradoras y coloque dentro las bebidas, las ensaladas, la carne y los quesos. Si quiere llevar menos equipaje, la nevera es útil para transportar platos o cubiertos. Puede apilar la cristalería en la nevera si utiliza hielo en cubitos.

cestas para *picnic*

Muchas veces resultan difíciles de llevar cuando están llenas, debido al peso. Puede que sea más cómodo un cesto con dos asas para así poder dividir la carga entre dos personas. Los cestos son estupendos para transportar vasos, platos y cubiertos.

manteles y sillas

Llévese suficientes manteles para extender todos los utensilios y accesorios del *picnic*. Saque el contenido de las cestas y póngalas cabeza abajo para usarlas como mesa, o bien utilice la tapa de la nevera con este fin. Las sillas plegables con respaldo muchas veces ocupan mucho espacio, son pesadas y difíciles de transportar: los taburetes bajos y plegables son una alternativa mejor.

termos y petacas de bolsillo

Los termos son estupendos para transportar bebidas calientes o frías. Asegúrese de calentar o enfriar el termo antes de llenarlo con el líquido. Las petacas de bolsillo son pequeñas y discretas y resultan útiles para llevar su licor preferido, que quizás quiera añadir al champán o al concentrado de frutas.

recipientes

nevera portátil

termo y petaca de bolsillo

cesta para *picnic*

silla y cojines

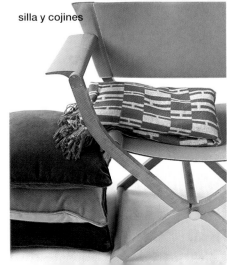

limonada de lima y concentrado de fruta de la pasión con alcohol   *baguettes* con pollo y albahaca tailandesa y pastelitos de maíz ▶

limonada de lima

1 ¹/₂ tazas de zumo de lima
³/₄ de taza de azúcar
hielo picado
soda o agua mineral
2 limas cortadas en rodajas

Ponga el zumo de lima y el azúcar en una jarra y remueva hasta que se haya disuelto el azúcar. Deje enfriar en la nevera. Cuando esté a punto de servirla, ponga la mezcla en un vaso lleno de hielo picado y acabe de llenar con soda o agua mineral y unas rodajas de lima. Para 6-8 personas.

concentrado de fruta de la pasión con alcohol

1 ¹/₂ tazas de zumo de naranja colado
1 ¹/₂ tazas de agua
1 taza de azúcar
1 taza de pulpa de fruta de la pasión
¹/₂-³/₄ de taza de vodka o ginebra

Ponga el zumo de naranja, el agua y el azúcar en un cazo a fuego medio y remueva hasta que se disuelva el azúcar. Lleve a ebullición, deje a fuego suave unos 3 minutos, agregue la pulpa de fruta de la pasión y deje enfriar. Añada el alcohol y guarde en botellas esterilizadas en la nevera. Sirva el concentrado con soda o champán. Para 6-8 personas.

pan con *antipasto* para *picnics*

1 pan redondo
relleno
3 cebollas cortadas en rodajas
2 cucharadas de aceite de oliva
12 rodajas de berenjena adobada y asada
¹/₂ taza de hojas de menta
20 rodajas de calabacín adobado y asado
1 taza de hojas de ruqueta
20 mitades de tomate asadas al horno
¹/₂ taza de hojas de albahaca
250 g de queso de cabra o *ricotta* fresco
20 rodajas de pimiento asado

Corte la parte superior del pan y retire la miga, dejando una corteza de 4 cm de grosor. Fría las cebollas con el aceite en una sartén a fuego medio durante 6 minutos. Para hacer las capas del pan, ponga la mitad de la cebolla, la berenjena, la menta, el calabacín, la ruqueta, los tomates, la albahaca, el queso y el pimiento dentro del pan, por este orden. Repita y vuelva a tapar el pan. Envuélvalo en un paño de cocina y córtelo en porciones para servirlo. Para 8 personas.

pastelitos de maíz

3 mazorcas de maíz, sin el pellejo ni los hilos
550 g de calabaza, sin piel y picada
¹/₂ taza de cuscús
¹/₂ taza de agua hirviendo
¹/₄ de cucharadita de comino molido
1 guindilla roja, sin semillas y picada
sal marina y pimienta
harina para rebozar

Cueza el maíz y la calabaza en una cacerola grande con agua hirviendo durante 5-8 minutos o hasta que estén tiernos. Escurra la calabaza y haga un puré. Retire los granos de maíz de las mazorcas.
Ponga el cuscús en un cuenco y vierta encima el agua hirviendo. Deje en remojo unos 5 minutos o hasta que esté blando.
Mezcle el cuscús con el maíz, la calabaza, el comino y la guindilla y salpimente al gusto.
Con las manos húmedas déles forma a los pastelitos y páselos ligeramente por la harina. Para freírlos, ponga 2 cm de aceite en una sartén a fuego vivo, añádalos y fría unos 2 minutos por cada lado o hasta que estén dorados y crujientes. Sirva fríos o calientes con un *chutney* especiado. Para 25 unidades.

baguettes con pollo y albahaca tailandesa

1 *baguette* cortada en 4 trozos
relleno
2 cucharadas de zumo de limón
2 cucharaditas de aceite de sésamo
2 guindillas rojas, sin semillas y picadas
2 cucharadas de salsa de soja
2 filetes de pechuga de pollo en lonchas finas
¹/₃ de taza de hojas de albahaca tailandesa
¹/₃ de taza de hojas de cilantro
¹/₃ de taza de hojas de menta
12 ajos cebollinos, partidos por la mitad

Para el relleno ponga el zumo de limón, el aceite de sésamo y la salsa de soja en un cuenco y mezcle bien. Añada el pollo y déle vueltas para que quede bien recubierto. Deje macerar unos 30 minutos.
Mezcle la albahaca con el cilantro, la menta y los ajos cebollinos. Ponga las hierbas encima del pan.
Precaliente una parrilla, barbacoa o sartén a fuego vivo.
Saque el pollo de la maceración, coloque sobre la plancha y deje unos 2 minutos por cada lado o hasta que esté hecho.
Ponga el pollo sobre las hierbas y cubra el bocadillo con otro trozo de pan para servir.

pan con *antipasto* para *picnics*

frittatas de boniato y salvia

tartaletas de berenjena y patata

pastelitos de carne con firma

tarta de higos y arándanos

tartaletas de berenjena y patata

315 g de pasta de hojaldre ya preparada
relleno
2 berenjenas en rodajas
aceite de oliva
1 cucharada extra de aceite de oliva
3 patatas, peladas y cortadas en rodajitas
3 cebollas en rodajas
2 cucharadas de hojas de tomillo limonero
3 dientes de ajo cortados en láminas
sal marina y pimienta negra triturada
aceite de oliva

Extienda la pasta de hojaldre sobre una superficie
ligeramente enharinada hasta que tenga 3 mm de grosor.
Corte en 6 círculos de 12 cm y colóquelos sobre bandejas
de hornear forradas.
Para el relleno, pinte las rodajas de berenjena con un poco
de aceite y fría en una sartén precalentada durante
2 minutos por cada lado o hasta que estén doradas. Retire
la berenjena de la sartén y reserve. Caliente el aceite extra
en una sartén, fría las rodajas de patata unos 2 minutos por
cada lado o hasta que estén doradas y retire de la sartén.
Ponga las cebollas y el tomillo limonero en una sartén y deje
a fuego medio unos 8-10 minutos o hasta que las cebollas
estén doradas y tiernas; después deje enfriar.
Ponga la cebolla encima de los círculos de pasta y remate
con la berenjena, la patata, el ajo, la sal y la pimienta. Rocíe
las tartaletas con un poco de aceite de oliva y hornee en el
horno precalentado a 200° C durante 20-25 minutos o hasta
que la pasta esté dorada y el relleno bien cocido.
Para 6 personas.

pastelitos de carne con firma

500 g de pasta de hojaldre ya preparada
1 huevo ligeramente batido
relleno
1 cucharada de aceite
2 cebollas picadas
500 g de bistec de la parte del lomo cortado en dados
1 taza de caldo de buey*
1/3 de taza de vino tinto
2 cucharadas de salsa Worcestershire
2 cucharadas de pasta de tomate
2 cucharadas de harina
4 cucharadas de agua
sal y pimienta triturada, al gusto

Para el relleno, caliente aceite en una cacerola a fuego vivo.
Ponga las cebollas y deje durante 3 minutos o hasta que
estén tiernas. Añada la carne y deje unos 4 minutos o hasta
que esté dorada. Agregue el caldo, el vino, la salsa de
Worcestershire y la pasta de tomate. Reduzca la
temperatura y deje, sin tapar, unos 50 minutos o hasta que
la carne esté tierna. Deslía la harina en el agua y agregue
a la cacerola. Lleve a ebullición y remueva durante 1 minuto.
Salpimente al gusto y deje enfriar.
Extienda la pasta sobre una superficie ligeramente
enharinada hasta que tenga 2 mm de grosor. Corte la pasta
de manera que encaje en las bases y los lados de 6 moldes
pequeños para tartaletas. Ponga el relleno sobre la base y
cubra con círculos de pasta, presionando los bordes con un
tenedor para que queden cerrados. Con los restos de pasta
forme algunos nombres, letras o números.
Pinte la parte superior de los pastelitos con huevo y
coloque en el horno precalentado a 200° C. Hornee unos
15-20 minutos o hasta que la pasta se hinche y esté dorada.
Para 6 unidades.

frittatas de boniato y salvia

500 g de boniatos, pelados y cortados en dados
aceite de oliva
sal marina
4 huevos ligeramente batidos
1 taza de nata líquida
pimienta negra triturada
1/3 de taza de queso parmesano rallado
1/4 de taza de hojas pequeñas de salvia

Ponga el boniato, el aceite y la sal en una fuente para el horno y agite para que se mezclen bien. Hornee en el horno precalentado a 200° C durante unos 25 minutos. Mezcle los huevos con la nata líquida, la pimienta y el parmesano y remueva. Vierta la mezcla en 12 moldes bajos para pastelitos, engrasados. Ponga el boniato por encima, así como las hojas de salvia. Hornee las *frittatas* a 160° C durante 20 minutos o hasta que estén doradas. Sirva calientes o frías con una guarnición especiada. Para 12 unidades.

tarta de higos y arándanos

unos 350 g de pasta quebrada dulce*
8 higos frescos
250 g de arándanos
relleno
250 g de mantequilla ablandada
1 taza de azúcar de lustre
250 g de almendras finamente molidas
4 huevos
1/2 taza de harina
2 cucharaditas de ralladura fina de limón

Extienda la pasta sobre una superficie ligeramente enharinada hasta obtener un grosor de 2 mm. Coloque en un molde hondo para tartas de 23 cm de diámetro. Con un pincho haga unos agujeros en la base y deje unos 30 minutos en la nevera. Forre la pasta con papel antiadherente para el horno y llene con unos pesos para hornear o con arroz crudo. Hornee en el horno precalentado a 200° C durante 5 minutos. Retire los pesos y el papel y hornee hasta que la pasta esté dorada.
Para el relleno ponga la mantequilla y el azúcar en un cuenco y bata hasta que esté ligero y cremoso. Incorpore las almendras molidas, la harina y la ralladura de limón y mezcle. Extienda esta mezcla sobre la base de la tarta. Haga dos incisiones en los higos desde el extremo superior. Presione los higos dentro de la mezcla de almendras y espolvoree con los arándanos. Hornee la tarta en un horno precalentado a 180° C durante 20-30 minutos o hasta que el relleno esté firme y los higos blandos. Sirva caliente o fría con nata líquida espesa. Para 8-10 personas.

pastel de coco con sirope de menta

125 g de mantequilla
2 cucharaditas de ralladura de limón
1 taza de azúcar de lustre
3 huevos
2 tazas de coco rallado
1 taza de harina con levadura
1/3 de taza de crema agria
sirope de menta
1 taza de azúcar
2 cucharadas de zumo de limón
3/4 de taza de agua
1/2 taza de hojas de menta

Ponga la mantequilla, la ralladura de limón y el azúcar en el vaso de una batidora eléctrica y bata hasta que la mezcla esté ligera y cremosa. Incorpore los huevos uno a uno y bata bien. Añada el coco, la harina y la crema agria y mezcle todo.
Vierta la mezcla en un molde redondo para pastel de 20 cm de diámetro, forrado, y hornee en el horno precalentado a 160° C durante 45 minutos o hasta que al probar con un pincho de cocina vea que está cocido.
Para el sirope de menta ponga el azúcar, el zumo de limón, el agua y la menta en un cazo a fuego suave y remueva hasta que se haya disuelto el azúcar. Deje a fuego suave unos 3 minutos y después cuele. Vierta el almíbar caliente por encima del pastel caliente. Sirva el pastel cortado en porciones con nata líquida espesa. Para 8-10 personas.

brownies a los dos chocolates

240 g de mantequilla
240 g de chocolate negro
3 huevos
1 1/2 tazas de azúcar de lustre
1 1/2 tazas de harina
1/2 taza de harina con levadura
1 1/2 tazas de chocolate blanco picado grueso

Ponga la mantequilla y el chocolate negro en un cazo a fuego muy lento y remueva hasta que esté suave.
Ponga los huevos y el azúcar de lustre en un cuenco y bata hasta que la mezcla esté ligera y espesa. Añada los huevos al chocolate negro, junto con las harinas tamizadas y el chocolate blanco, y después vierta en un molde cuadrado para pastel de 23 cm, forrado. Hornee en el horno precalentado a 180° C durante 30 minutos o hasta que los *brownies* estén cuajados.
Deje enfriar, corte en cuadrados y espolvoree con azúcar glas o cacao de buena calidad. Para 24 cuadrados.

pastel de coco con sirope de menta

brownies a los dos chocolates

ideas para menús

picnic en el lago para 8

pastelitos de maíz
***frittatas* de boniato y salvia**
tartaletas de berenjena y patata
tarta de higos y arándanos

PREPARACIÓN DE LOS ALIMENTOS

Empiece con los pastelitos de maíz acompañados de un *chutney* especiado y con las *frittatas* de boniato y salvia. Sirva las tartaletas de berenjena y patata (x 1½) como plato principal, acompañadas de una ensalada verde aliñada con vinagre balsámico y aceite de oliva. La tarta de higos y arándanos queda perfecta como postre a media tarde junto con un café o un té. Prepare los alimentos el día anterior y cocine y hornee la misma mañana del *picnic*.

SUGERENCIAS PARA BEBIDAS

Empiece con un tonificante vino blanco espumoso y un poco de concentrado de fruta de la pasión con alcohol. A continuación, pase a un *sauvignon* blanco con sabor a hierba para tomar con los aperitivos; algo más tarde ofrezca un *chardonnay* con ligero sabor a madera para acompañar las tartaletas. Puede servir un poco de coñac o brandy para acompañar la tarta de higos y arándanos.

picnic en la playa para 6

***frittatas* de boniato y salvia**
pan con *antipasto* para *picnics*
***brownies* a los dos chocolates**
limonada de lima

PREPARACIÓN DE LOS ALIMENTOS

Pruebe a empezar con unas *frittatas* de boniato y salvia, seguidas del rey del *picnic*, el pan con *antipasto*, cortado en generosas porciones y servido con limonada de lima. Prepare los alimentos el día anterior, y cocine y hornee la misma mañana del *picnic*. Termine con los dulces y suculentos *brownies* a los dos chocolates, que puede preparar hasta 2 días antes.

SUGERENCIAS PARA BEBIDAS

Llévese una nevera portátil llena de hielo y procure dejarla a la sombra. Llénela con limonada de lima y agua mineral con gas, un poco de *chardonnay* con ligero sabor a madera y una botella de un suave *merlot* para tomar a sorbitos durante la tarde. Procure tener a mano un termo con café caliente para servir con los *brownies*.

picnic en las carreras para 8

tartaletas de berenjena y patata
***baguettes* con pollo y albahaca tailandesa**
pastel de coco con sirope de menta

PREPARACIÓN DE LOS ALIMENTOS

Corte las tartaletas de berenjena y patata en trozos pequeños para ir picando durante el aperitivo. Sirva las *baguettes* con pollo y albahaca tailandesa (x 2) como almuerzo y a media tarde ofrezca el pastel de coco con sirope de menta, que puede preparar 1 día antes y guardar en un recipiente hermético. Prepare los alimentos el día anterior y cocine y hornee la misma mañana del *picnic*.

SUGERENCIAS PARA BEBIDAS

Cuando piensa en las carreras, seguramente se imagina un ambiente festivo acompañado de vino blanco espumoso. Para las *baguettes* es ideal tomar un *riesling* seco. Si está harto de las burbujas, un café solo con un poco de pastel de coco le tonificará.

bebidas

elementos básicos

Para una buena velada compruebe que todos los accesorios para el bar y la preparación de bebidas estén a punto antes de que lleguen los invitados. Para el aperitivo, disponga algunos cuencos distribuidos por el jardín para que los comensales puedan dejar las colas de gambas o las conchas de las vieiras.

hielo

Nunca sobra el hielo en las reuniones. Llene unas cubiteras grandes con hielo para el champán, el vino y los cócteles como mínimo 1 hora antes de que lleguen los invitados. Tenga hielo suficiente en el bar para los cócteles. Coloque un bloque de hielo sobre una bandeja con un punzón para poder extraer trozos grandes de hielo; de esta manera los invitados podrán servirse ellos mismos.

sacacorchos

Es obligado tener en casa este viejo y fiel amigo de todo camarero. Un sacacorchos de acero inoxidable le durará años. Si piensa invitar a muchas personas, es mejor tener más de uno. Si extravía el único que tiene, ¡se acabará la fiesta!

batidora

Si quiere preparar bebidas con mucho hielo picado, compruebe que tenga una picadora de una cierta potencia. No hace falta que sea profesional, pero sí es recomendable que tenga un vaso de cristal y un motor de 400 vatios de potencia como mínimo.

coctelera

La mayoría de bares domésticos tienen una coctelera en algún estante llenándose de polvo. Lo que quizá pensaba usted que era un elemento casi decorativo resulta que es un artículo de primera necesidad. Tenga en cuenta que las cocteleras se venden a unos precios muy distintos.

picadora de hielo

Si tiene intención de servir bebidas con una base de hielo picado, no dude en adquirir una picadora de hielo. Podrá elegir entre una manual, de precio accesible, y una eléctrica, algo más cara pero mucho más cómoda.

vasos y copas

Compruebe que tenga vasos y copas suficientes y si es preciso alquile algunos extra. No hace falta que el vaso sea el idóneo para el cóctel, pero está bien tener una pequeña variedad: vasos o copas grandes para los daiquiris con fruta y los margaritas helados, y otros de menor tamaño para el Martini helado con arándanos, de sabor más fuerte.

palillos para remover

Procure tener palillos para remover las bebidas, pajas y otros accesorios de aspecto original. Recuerde que los diseños y colores extravagantes siempre resultan divertidos en estas ocasiones.

picadora de hielo

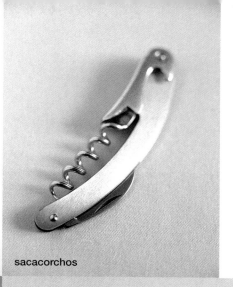

sacacorchos

coctelera

batidora

pajas y palillos para remover

vieiras a la parrilla con lima y jengibre

vodka a la vainilla

vieiras a la parrilla con lima y jengibre

24 vieiras con media concha
mantequilla de lima y jengibre
2 cucharadas de jengibre cortado en tiras muy finas
2 cucharaditas de ralladura fina de lima
2 cucharaditas de aceite de sésamo
pimienta negra triturada
2 cucharadas de hojas de tomillo limonero
100 g de mantequilla ligeramente ablandada

Para hacer la mantequilla de lima y jengibre ponga el jengibre, la ralladura de lima, el aceite de sésamo, la pimienta, el tomillo y la mantequilla en un cuenco y mezcle bien. Extienda un poco de mantequilla sobre cada vieira. Antes de servirlas, póngalas bajo el grill precalentado muy caliente y deje durante 1 minuto o hasta que estén doradas. Tenga cuidado de no asar demasiado porque la concha se calienta y las vieiras se seguirán cociendo aunque las retire del grill. Sirva inmediatamente. Para 24 unidades.

vodka a la vainilla

750 ml de vodka
3 vainas de vainilla*, partidas por la mitad

Ponga las vainas en el vodka y deje en el alféizar de una ventana durante como mínimo 1 semana antes de servirla. Sirva el vodka a la vainilla con tónica o soda. Para 750 ml.

Campari con pomelo rosado

500 ml de zumo de pomelo rosado embotellado
1/3 de taza de Campari
6 ramitas de menta
315 ml de tónica o soda
hielo

Ponga el zumo de pomelo, el Campari, la menta y la tónica o soda en una jarra y remueva para mezclar. Vierta la bebida en vasos helados llenos de hielo y sirva. Para 3-4 personas.

vermut helado con arándanos

1/2 taza de ginebra
1/3 de taza de vermut dulce
8 cubitos de hielo
4 cucharadas de puré de arándanos

Ponga la ginebra, el vermut, el hielo y el puré de arándanos en una coctelera. Agite bien y cuele dentro de una copa bien fría. Para 2 personas.

atún adobado y soasado

1 trozo de atún para *sashimi* de 500 g
2 cucharaditas de aceite de sésamo
2 cucharaditas de jengibre picado fino
4 cucharadas de salsa de soja
2 cucharadas de *mirin*
2 cucharadas de zumo de limón
1 cucharada de perejil de hoja plana finamente picado
1 poco de arroz para *sushi**
3 láminas de *nori** tostado y jengibre encurtido

Unte el atún con aceite de sésamo. Caliente una sartén a fuego vivo. Ponga el atún en la sartén, soase unos 5 segundos por cada lado y reserve. Mezcle el jengibre con la salsa de soja, el *mirin*, el zumo de limón y el perejil en una fuente baja. Ponga el atún a macerar y deje en la nevera, dándole la vuelta ocasionalmente, durante 1-2 horas. Para servir, retire el atún del adobo y corte en lonchas finas. Ponga la mitad del arroz sobre un trozo de papel antiadherente para el horno y coloque el papel sobre una alfombrilla para *sushi*. Enrolle el arroz dentro del papel y la alfombrilla hasta formar un cilindro. Con un cuchillo de sierra corte el arroz en discos de 2 cm de ancho. Haga lo mismo con el resto del arroz. Corte el *nori* en cuadrados de mayor tamaño que los discos de arroz y colóquelos en una fuente. Ponga un disco de arroz sobre un cuadrado de nori, añada encima un trozo de jengibre encurtido y una rodaja de atún; rocíe con el líquido de la maceración y sirva. Para 32 porciones.

zumo de cítricos con Pimm's

1/3 de taza de zumo de limón recién exprimido
1/3 de taza de zumo de lima recién exprimido
1/3 de taza de zumo de naranja recién exprimido
1/3 de taza de zumo de pomelo rosado recién exprimido
1 cucharada de azúcar lustre
500 ml de tónica
1/2 taza de Pimm's nº 1

Ponga los zumos de limón, de lima, de naranja y de pomelo en una jarra. Añada el azúcar y remueva para que se disuelva. Agregue la tónica y el Pimm's y sirva sobre hielo. Para 4-6 personas.

cóctel de champán con frambuesas

1 botella de champán de 750 m
10 cucharadas de licor de frambuesa o *framboise**
frambuesas frescas

Ponga el champán en hielo 1 hora antes de servirlo. Vierta 2 cucharadas de *framboise* en 5 copas y añada champán y unas frambuesas. Para 5 personas.

atún adobado y soasado

vermut helado con arándanos y cóctel de champán con frambuesas

Campari con pomelo rosado y zumo de cítricos con Pimm's

bruschetta de higos al vinagre balsámico

aguanieve de vodka

lima blanca

bruschetta de higos al vinagre balsámico

1 cucharada de mantequilla
¹/₄ de taza de vinagre balsámico
2 cucharaditas de azúcar
6 higos cortados en cuartos
relleno
250 g de queso azul de textura fuerte y sabor intenso
¹/₃ de taza de *mascarpone**
1 cucharada de perejil de hoja plana, picado grueso
pimienta negra triturada
bruschetta
24 rebanadas finas de *baguette*
aceite de oliva y 3 dientes de ajo partidos por la mitad

Para el relleno, mezcle el queso azul con el *mascarpone*, el perejil y pimienta al gusto. Caliente la mantequilla, el vinagre balsámico y el azúcar en una sartén a fuego vivo. Remueva y deje a fuego suave hasta que la mezcla haya espesado ligeramente. Ponga los cuartos de higo en la sartén, unos cuantos cada vez, y deje cocer unos 30 segundos por cada lado. Para la *bruschetta,* pinte las rebanadas de *baguette* con aceite de oliva. Ponga las rebanadas bajo el grill caliente y tueste hasta que el pan esté dorado por ambos lados. A continuación, frótelo con ajo para que tengan más sabor. Para servir, ponga un poco de mezcla de quesos sobre cada rebanada de pan y adorne con un higo. Caliente la *bruschetta* antes de servir. Para 24 unidades.

salmón con pepino encurtido

1 trozo de salmón para *sashimi* de 300 g
24 triángulos de pan de pita
pepinos encurtidos
2 pepinos cortados en rodajitas finas
sal marina
¹/₄ de taza de vinagre de vino blanco
1 cucharada de eneldo picado
2 cucharaditas de azúcar lustre
1-2 cucharaditas de pasta *wasabi**
pimienta negra triturada

Para preparar los pepinos encurtidos ponga las rodajitas de pepino en un escurridor y espolvoree con sal marina. Deje escurrir durante 15 minutos. Lave y seque el pepino con papel absorbente. Ponga en un cuenco y vierta encima el vinagre mezclado con el eneldo, el azúcar, el *wasabi* y la pimienta. Deje en maceración unos 30 minutos.
Para servir, corte el salmón en 24 rodajas. Ponga un trozo de salmón en un lado del pan. Escurra el vinagre de los pepinos y apile unas rodajitas encima del salmón. Envuelva y haga una incisión en los extremos del pan, a modo de ojales, para que no se desparrame el relleno o sujete con un mondadientes y sirva. Para 24 porciones.

aguanieve de vodka

1 taza de azúcar
4 tazas de agua hirviendo
1 ¹/₂ tazas de zumo de lima o de limón
¹/₂-³/₄ de taza de vodka

Ponga el azúcar y el agua hirviendo en un cuenco y remueva hasta que se haya disuelto el azúcar. Deje enfriar ligeramente antes de añadir el zumo de lima o de limón y el vodka. Deje la mezcla en el congelador durante 2 horas y después remueva con un tenedor. Congele otras 2 horas o hasta que el aguanieve esté firme. Rompa el hielo con un tenedor o bata hasta que esté suave y sirva inmediatamente. Para 4 personas.

lima blanca

750 ml de alcohol blanco, como vodka, ginebra o ron blanco
4 limas cortadas en rodajas

Ponga el alcohol blanco y las limas en una botella limpia y deje en la nevera. Deje las limas durante un mínimo de 4 días antes de servirlo sobre hielo, con soda o tónica. Si quiere servirlo directamente, ponga las limas y el alcohol en el congelador durante algunas horas. Para 750 ml.

pollo *kafir* sobre hojas de *betel*

2 cucharaditas de aceite de sésamo
1 cucharada de jengibre finamente rallado
1 ramita de citronela* finamente picada
6 hojas de lima *kafir** cortadas finas
3 guindillas rojas, sin semillas y picadas
300 g de pechuga de pollo picada
2 cucharadas de zumo de limón
1 cucharada de salsa de pescado
1 cucharada de salsa de soja
12-18 hojas de *betel** o de espinaca tierna para servir
ramitas de cilantro y guindillas en rodajitas para adornar

Ponga el aceite de sésamo en una sartén o *wok* a fuego vivo. Añada el jengibre, la citronela, las hojas de lima y las guindillas a la sartén y deje durante 1 minuto. Incorpore el pollo a la sartén y deje unos 4 minutos o hasta que esté cocido. Agregue el zumo de limón, la salsa de pescado y de soja y deje cocer durante 1 minuto. Lave las hojas de *betel* o de espinaca y seque con papel absorbente. Ponga montoncitos de pollo encima de cada hoja y sirva inmediatamente con una ramita de cilantro y rodajitas de guindilla. Para 12-18 porciones.

pollo *kafir* sobre hojas de *betel*

calabaza con sésamo y soja

½ calabaza dulce pequeña
aceite
sal marina
3 cucharaditas de miel
2 cucharaditas de aceite de sésamo
1 cucharada de semillas de sésamo
1 cucharada de jengibre finamente picado
3 cucharadas de salsa de soja
2 cucharadas de vino chino para cocinar *(shao hsing)*

Pele la calabaza, corte en trozos del tamaño de un bocado y pase por aceite y sal. Coloque en una sola fila en una bandeja y hornee en el horno precalentado a 200° C durante 25 minutos o hasta que esté tierna.
En una sartén grande mezcle la miel con el aceite y las semillas de sésamo, el jengibre, la salsa de soja y el vino. Deje la mezcla a fuego suave hasta que esté almibarada. Incorpore la calabaza a la sartén, unos cuantos trozos cada vez, y remueva para que queden recubiertos. Retire la calabaza de la sartén y ponga los trozos sobre una bandeja para el horno forrada con papel antiadherente. Vuelva a poner en el horno y hornee a 150° C durante 5 minutos. Sirva caliente con palillos. Para 24 trozos.

aceitunas con guindilla y limón

500 g de aceitunas de Kalamata
3 dientes de ajo sin pelar
2 guindillas rojas picadas
3 cucharadas de zumo de limón
1 cucharada de piel de limón cortada en tiras finas
1 cucharada de hojas de romero
3 cucharadas de aceite de oliva

Antes de macerar las aceitunas, compruebe el punto de sal. Si son saladas, póngalas en un cuenco grande con agua fría. Escurra las aceitunas y cámbieles el agua cada 30 minutos hasta que estén a su gusto.
Ponga el ajo en una sartén a fuego vivo y tueste hasta que esté bien dorado. Quite la piel y machaque. Añada las guindillas, el zumo y la piel de limón, el romero y el aceite y mezcle todo bien. Vierta el adobo por encima de las aceitunas y deje en la nevera un mínimo de 8 horas antes de servir. Las aceitunas saben mejor si se dejan en maceración durante 2-3 días antes de usarlas. Para 6-8 personas.

paté de hígado de pato

550 g de hígado de pato
½ taza de coñac
2 cucharadas de mantequilla
1 cucharadita de hojas de estragón
¼ de cucharadita de nuez moscada molida
pimienta negra triturada
75 g de mantequilla picada

Quite las partes blancas o descoloridas del hígado. Ponga en un cuenco con el coñac y deje 2 horas en la nevera. Caliente la mantequilla en una sartén grande a fuego vivo hasta que burbujee. Escurra los hígados del coñac, reserve éste y ponga los hígados en la sartén. Déles la vuelta en la mantequilla hasta que cambien de color y después retire de la sartén. Añada el coñac, el estragón, la nuez moscada y la pimienta a la sartén y deje unos 2-3 minutos. Ponga los hígados y la mezcla del coñac en una picadora y bata. Pase la mezcla por un colador fino y vuelva a poner en la picadora. Añada mantequilla extra y bata hasta que esté suave. Cubra el paté con plástico de cocina y deje unas 2-3 horas en la nevera o hasta que esté firme. Sirva el paté sobre rebanadas de pan tostado y acompáñelo de peras a la pimienta. Para 12 personas.

peras a la pimienta

3 cucharadas de vinagre de sidra de manzana
2 cucharadas de vinagre balsámico
2 cucharadas de azúcar
pimienta negra triturada
2 peras de carne firme, peladas y cortadas en láminas finas

Ponga el vinagre de sidra, el balsámico, el azúcar y la pimienta en una sartén a fuego suave y remueva. Incorpore las peras a la sartén y deje a fuego lento durante 1 minuto. Retire la sartén del fuego y deje reposar las peras durante 1 hora antes de servirlas a temperatura ambiente con el paté. Para 12 personas.

julepe de melocotón

1 taza de agua
½ taza de azúcar
1 ½ tazas de hojas de menta
1½ tazas de zumo fresco de melocotón blanco
½-¾ de taza de *bourbon* o brandy
soda

Ponga el agua y el azúcar en un cazo a fuego suave y remueva. Añada las hojas de menta y deje a fuego lento durante 3 minutos. Retire el cazo del fuego y deje reposar unos 30 minutos; después cuele el almíbar y añádalo al zumo de melocotón frío y al *bourbon*; mezcle bien. Deje el *julepe* en la nevera, sirva sobre hielo picado y añada soda. Para 6 personas.

calabaza con sésamo y soja

aceitunas con guindilla y limón

salmón con pepino encurtido

paté de hígado de pato con peras a la pimienta

113

julepe de melocotón

ideas para menús

aperitivos antes de la cena para 8

bruschetta *de higos al vinagre balsámico*
calabaza con sésamo y soja
vieiras a la parrilla con lima y jengibre
zumo de cítricos con Pimm's
cóctel de champán con frambuesas

PREPARACIÓN DE LOS ALIMENTOS
Como preludio para una cena y para despertar el paladar, empiece con la *bruschetta* de higos al vinagre balsámico, seguida de la calabaza con sésamo y soja y las vieiras a la parrilla con lima y jengibre. Si hay suficiente comida para las bebidas, puede pasar directamente al plato principal de la cena, seguido por el postre y queso. La *bruschetta* de higos al vinagre balsámico y la calabaza las puede preparar con antelación y calentar un poco antes de servirlas. Prepare la mantequilla de lima y jengibre para las vieiras de antemano y ase las vieiras justo antes de servirlas.

SUGERENCIAS PARA BEBIDAS
Empiece con algo ligero y refrescante, como el zumo de cítricos con Pimm's o el clásico cóctel de champán con frambuesas. Sirva un buen *pinot noir*, un meloso *cabernet sauvignon* o un *chardonnay* añejo para complementar la comida.

bebidas festivas para 10

vieiras a la parrilla con lima y jengibre
aceitunas con guindilla y limón
paté de hígado de pato
peras a la pimienta
bruschetta *de higos al vinagre balsámico*
cóctel de champán con frambuesas

PREPARACIÓN DE LOS ALIMENTOS
Cuando lleguen sus invitados sirva las vieiras a la parrilla con lima y jengibre para despertar el paladar. Siga con pequeñas tacitas o cuencos de aceitunas con guindilla y limón servidas con unos pinchos. El paté de hígado de pato con las peras a la pimienta y la *bruschetta* de higos al vinagre balsámico servirá de broche final. Puede preparar el paté y las peras antes de la fiesta y macerar las aceitunas el día anterior.

SUGERENCIAS PARA BEBIDAS
Cuando lleguen los invitados sirva un cóctel de champán con frambuesas (x 2); si lo prefiere también puede ofrecer champán solo o un *pinot noir* ligero. A lo largo de la noche, siga sirviendo champán y quizá añada algún toque de *cabernet sauvignon* para complementar el suculento paté y la *bruschetta* de higos al vinagre balsámico.

cócteles para 6

calabaza con sésamo y soja
atún adobado y soasado
pollo *kafir* **sobre hojas de** *betel*
aguanieve de vodka
Campari con pomelo rosado
vodka a la vainilla

PREPARACIÓN DE LOS ALIMENTOS
Empiece con la calabaza y el atún adobado. Después sirva el pollo sobre hojas de *betel*, que llenará adecuadamente los estómagos. Todas las recetas se pueden preparar con antelación. Caliente la calabaza y el pollo antes de servir.

SUGERENCIAS PARA BEBIDAS
Empiece fuerte con el aguanieve de vodka (x 3) y pase después al Campari con pomelo rosado. También va muy bien una cerveza de sabor fuerte bien helada si es una noche calurosa de verano. Procure que no falte el hielo en ningún momento. Sirva el vodka a la vainilla sobre un sorbete de fruta para terminar.

en un instante

elementos
básicos

aceites y vinagres

Un chorrito de vinagre aquí y allí puede realzar el sabor de una comida rápida. Asegúrese de que compra aceites y vinagres de buena calidad. Igual que para muchas otras cosas, a más precio mejor calidad. Guarde los aceites y los vinagres en un lugar oscuro y fresco.

ACEITE DE OLIVA. Tenga uno más ligero además del aceite virgen extra, de un color verde oscuro y más afrutado, para variar las intensidades de sabor.

ACEITE DE SÉSAMO. Compre un aceite de sésamo oriental de buena calidad y utilícelo con prudencia porque podría anular otros sabores.

ACEITE DE GUINDILLA. El picante varía de muy fuerte a suave, así que pruébelo antes de echarlo en un plato. Es una manera estupenda de añadir sabor cuando se tiene prisa.

ACEITE VEGETAL. Este aceite va muy bien para freír y para preparar un aliño suave.

ACEITES DE HIERBAS. Son estupendos para aliños o como base para un plato con mucho sabor.

VINAGRE DE VINO BLANCO Y TINTO. Compre vinagres de vino de buena calidad para obtener el mejor sabor.

VINAGRE BALSÁMICO. El vinagre balsámico madura de manera similar al vino. La buena calidad es obligatoria.

VINAGRE A LAS HIERBAS. Este vinagre es una base estupenda para un aliño rápido para ensaladas. Se puede preparar en casa fácilmente.

salsas, pastas y conservas

Para obtener unos buenos sabores base para adobos rápidos y sabrosos, aliños o salsas para ensaladas o pastas, tenga una buena selección de salsas y condimentos en la despensa. Compruebe bien las etiquetas, ya que algunas de ellas tienen que guardarse en la nevera una vez abiertas.

SALSA DE SOJA, DE OSTRAS, DE GUINDILLA Y DE PESCADO. Tenga una buena variedad de estas salsas a mano para los adobos, salsas para mojar, *curries*, salteados, etc. (véase pág. 32).

PIMIENTA Y SAL MARINA. Utilice granos de pimienta molidos en molinillo cuando quiera pimienta triturada fresca. Cuando use sal marina, muélala si viene en bloque; si es granulada, frótela con las puntas de los dedos antes de añadirla a los alimentos.

GUINDILLAS SECAS, SEMILLAS Y HIERBAS. Cómprelas en cantidades pequeñas porque con el tiempo pierden el sabor. Guarde las guindillas secas, las semillas y las hierbas en recipientes herméticos. Muela las especias enteras cuando las necesite.

WASABI. Se trata de una pasta de rábano verde picante que resulta adictiva. Su presencia es obligada para el *sushi* o las maceraciones. Puede comprarla en pasta o en polvo. (Personalmente prefiero la variedad de pasta japonesa.)

MOSTAZAS Y *CHUTNEYS*. Pueden enriquecer un bocadillo, un adobo, un aliño, etc. Tenga una buena variedad a mano. Yo siempre guardo mermelada de cebolla, mostazas sin semillas, de Dijon y con miel, pasta de guindilla y *chutney* de mango y de citronela.

ACEITUNAS Y ALCAPARRAS. Guárdelas en frascos en la despensa o en la nevera. Son estupendas para las ensaladas, bocadillos, pasta y muchas otras recetas para añadir un toque de sal y de sabor.

elementos imprescindibles en una despensa

Guarde una buena selección de productos secos en su despensa, de manera que disponga de los elementos básicos para confeccionar una estupenda comida en poco tiempo.

CALDO ENVASADO DE LARGA DURACIÓN. Su calidad varía, así que pruébelos antes. Puede ser un buen sustituto del caldo casero. En algunos establecimientos se puede encontrar caldo congelado de buena calidad.

PASTA SECA Y FIDEOS. Con ellos se resuelve más de un dilema del tipo "no tengo nada para comer." Tenga una buena variedad en la despensa como reserva.

ARROZ TIPO JAZMÍN, ARBORIO Y DE GRANO CORTO. Son acompañamientos imprescindibles para un salteado o un *curry* rápidos. Mi favorito, el tipo arborio, tarda un poco más en cocerse, pero resulta terapéutico sentarse en un taburete con una copa de vino mientras se va removiendo el *risotto*.

POLENTA. En una noche fría es extremadamente reconfortante sentarse a comer una suave polenta con hierbas fritas, queso azul y pimienta.

LENTEJAS. Desde las rojas hasta las verdes o pardas, las lentejas son una buena base para ensaladas, sopas y *curries*.

CUSCÚS. Cubra el cuscús con caldo hirviendo, añada un poco de mantequilla, pimienta, unas hierbas y ¡ya está! ¿Cómo pudimos vivir sin él?

VINOS PARA COCINAR. El vino tinto y blanco secos, junto con una botella de *mirin*, serán suficientes. No compre vino demasiado barato porque repercutirá negativamente en el sabor de los alimentos.

vinagre balsámico

aceite de hierbas y de guindilla

aceite vegetal, de oliva y de sésamo

vinagre de vino tinto y vino blanco

vinagre a las hierbas

en un instante

mostazas y *chutneys*

especias secas y guindillas

sal y pimienta

alimentos en conserva

pastas

vinos para cocinar, tinto y blanco

pasta y fideos

caldo

arroz

lentejas y cereales

121

hinojo asado y ensalada de aceitunas

ensalada de ruqueta con pan crujiente al parmesano

hinojo asado y ensalada de aceitunas

4 bulbos pequeños de hinojo cuarteados
2 cebollas rojas cortadas en 8 trozos
4 tomates de pera partidos por la mitad
3 cucharadas de aceite de oliva
2 cucharadas de hojas de orégano
hojas de remolacha o ensalada verde
aliño
3 cucharadas de vinagre de sidra de manzana
2 cucharaditas de mostaza de Dijon
2 cucharadas de aceite de oliva y 1 diente de ajo machacado

Ponga el hinojo, las cebollas y los tomates en una fuente para el horno. Caliente aceite en una sartén pequeña a fuego suave. Ponga el orégano en la sartén y caliente unos 3 minutos. Vierta el aceite sobre las verduras y hornee en el horno precalentado a 200°C durante 30 minutos. Para el aliño, mezcle el vinagre con la mostaza, el aceite y el ajo. Para servir, ponga las verduras sobre un lecho de hojas tiernas de remolacha o ensalada verde, en platos individuales. Añada algunas aceitunas y aliñe. Para 4 personas como entrante, o sírvala con carne o pescado a la parrilla.

cuscús a la menta con tomates fritos

1 ½ tazas de cuscús
1 ¾ tazas de caldo hirviendo de pollo* o verduras*
1 cucharada de aceite de oliva
4 tomates maduros cortados en rodajas gruesas
pimienta negra triturada
2 cucharaditas extra de aceite
1 cebolla picada
2 cucharadas de alcaparras pequeñas
1 cucharada de ralladura de limón
¼ de taza de almendras escaldadas picadas gruesas
3 cucharadas de menta picada
2 manojos (100 g) de hojas de ruqueta
175 g de queso *feta* macerado, en rodajas

Ponga el cuscús en un cuenco y vierta el caldo hirviendo por encima. Deje reposar unos 5 minutos o hasta que se haya absorbido el caldo. Caliente el aceite en una sartén grande a fuego medio. Espolvoree las rodajas de tomate con la pimienta y póngalas en la sartén. Fría unos 4-5 minutos por cada lado. Caliente el aceite extra en una sartén aparte, a fuego vivo. Fría la cebolla hasta que esté tierna. Agregue las alcaparras, la ralladura de limón y las almendras y deje unos 2 minutos. Incorpore el cuscús y la menta a la sartén y deje hasta que esté caliente. Ponga el cuscús en platos individuales, coloque encima la ruqueta, el queso y los tomates fritos. Para 6 personas como entrante o para 4 como plato principal.

ensalada de ruqueta con pan crujiente al parmesano

2 manojos (200 g) de ruqueta
3 cucharadas de vinagre balsámico
2 pomelos rosados, pelados y desgajados
½-¾ de taza de virutas de queso parmesano
pimienta negra triturada
pan crujiente al parmesano
2 panes *lavash* planos
⅓ de taza extra de queso parmesano rallado fino
¼ de taza de aceite de oliva

En un cuenco mezcle la ruqueta con el vinagre balsámico, el pomelo, las virutas de parmesano y la pimienta .
Para preparar el pan crujiente al parmesano, corte el pan *lavash* en 16 trozos iguales. Mezcle el parmesano extra con el aceite y unte un lado de las tiras de pan. Ponga las tiras de pan bajo el grill precalentado y deje durante 1 minuto o hasta que estén doradas. Déle la vuelta al pan, unte el otro lado con la mezcla de queso y aceite y deje bajo el grill otro minuto o hasta que esté dorado. Coloque cuatro tiras de pan en un plato individual. Ponga la ruqueta encima y sirva.
Para 4 personas como entrante; si la sirve con carne o pescado a la parrilla puede ser un plato principal.

fideos con cerdo a la barbacoa

8 setas chinas secas
400 g de fideos *udon** o Hokkien frescos
3 tazas de caldo de pollo*
½ taza de vino chino para cocinar *(shao hsing)* o jerez
6 rodajas de jengibre
1 guindilla verde, sin semillas y cortada en rodajitas
4 chalotas picadas
2 cucharadas de hojas de cilantro
2 tazas de *bok choy* o *choy sum* picado
350 g de cerdo a la barbacoa al estilo chino* *(char sui)*

Ponga las setas en un cuenco, cubra con agua hirviendo y deje en remojo unos 5 minutos o hasta que se ablanden. Escurra, seque y corte en rodajas finas.
Ponga los fideos en agua caliente durante 1 minuto y después escurra. Si utiliza fideos secos, póngalos en una cacerola de agua hirviendo hasta que se ablanden y después escurra. Reparta los fideos en cuencos individuales.
Ponga el caldo, el vino, el jengibre, la guindilla, la chalota y el cilantro en una cacerola a fuego vivo y lleve a ebullición. Añada la verdura al caldo y después vierta todo encima de los fideos. Corte la carne de cerdo en lonchas, incorpore al bol y mezcle bien. Espolvoree los fideos con las setas antes de servir. Sirva con salsa de guindilla o guindillas picadas.
Para 6 personas como entrante o para 4 como plato principal.

fideos con cerdo a la barbacoa

trucha marina rebozada con sésamo

4 trozos de filete de trucha marina de 180 g cada uno
¼ taza de semillas de sésamo
¼ de taza de semillas de sésamo negro*
1 cucharada de aceite
verduras
1 manojo de *gai larn* con las puntas cortadas y partido
1 manojo de *choy sum* con las puntas cortadas y partido
2 cucharaditas de aceite de sésamo
1 cucharada de jengibre cortado en tiras finas
3 cucharadas de salsa de ostras
2 cucharadas de salsa de soja
1 cucharada de azúcar
3 cucharadas de vino chino para cocinar *(shao hsing)* o jerez

Quite la piel y las espinas visibles de la trucha. Mezcle los dos tipos de semillas de sésamo y póngalas en un plato llano. Presione ambos lados del pescado para rebozar. Ponga las verduras en una cacerola a fuego vivo. Añada el jengibre y cueza durante 1 minuto. Agregue las salsas de ostras y de soja, el azúcar y el vino y deje a fuego suave unos 4 minutos o hasta que espese.
Ponga una sartén a fuego suave. Añada el aceite y la trucha. Fría a fuego suave durante 1-2 minutos por lado o hasta que esté hecha, con un punto crudo. Para servir, saltee las verduras en la sartén con la salsa y coloque en platos individuales. Ponga encima la trucha rebozada con semillas de sésamo y sirva. Para 4 personas.

cordero con puré de ajo

8 chuletas dobles de cordero, recortadas
1 cucharadita de pimienta negra triturada
3 cucharadas de menta picada
½ taza de vino tinto
1 cucharada de mostaza sin semillas
¼ de cucharadita de comino molido
puré de ajo
6 dientes de ajo sin pelar
6 patatas para hacer puré, peladas y picadas
2 cucharadas de mantequilla
1-1 ¼ tazas de leche caliente
una pizca de sal marina

Ponga las chuletas de cordero en un plato llano. Mezcle la pimienta con la menta, el vino, la mostaza y el comino y vierta sobre la carne. Deje macerar un mínimo de 30 minutos, preferiblemente 2 horas.
Para el puré de ajo, ponga los dientes de ajo sin pelar en una sartén seca a fuego medio. Deje cocer, dándoles la vuelta ocasionalmente, unos 10 minutos o hasta que la piel esté dorada y después deje enfriar. Retire la piel del ajo y macháquelo con un tenedor.

Cueza las patatas en una cacerola con agua hirviendo durante 6 minutos o hasta que estén tiernas. Mientras se cuecen las patatas, saque el cordero de la maceración y ponga el líquido en una cacerola pequeña. Deje a fuego suave hasta que espese un poco. Caliente una sartén a fuego vivo. Fría el cordero de 2 a 3 minutos por lado o hasta que esté a su gusto.
Para terminar el puré escurra las patatas, vuélvalas a poner en la cacerola con la mantequilla y haga un puré con un batidor mientras añade la leche lentamente, hasta que el puré esté espeso y cremoso. Vaya incorporando la sal y el ajo machacado.
Para servir, ponga un montoncito de puré en un plato con el cordero encima y una cucharada de salsa. Sirva con ensalada de ruqueta y vinagre balsámico o unas hojas tiernas de espinaca. Para 4 personas.

pilaf de arroz jazmín con pollo a la sal

4 pechugas de pollo fileteadas, con la piel
aceite de oliva
sal marina
pilaf de arroz jazmín
1 cucharada de aceite
1 cucharada de mantequilla
2 cebollas picadas
2 raíces de cilantro
4 hojas de lima *kafir**
2 guindillas rojas sin semillas y picadas
1 ½ tazas de arroz tipo jazmín
1 ½ tazas de caldo de pollo* o de verduras*
1-1 ½ tazas de agua

Para preparar el pollo, frote la piel con aceite de oliva y sal marina, con cuidado de que la sal no toque la carne. Caliente una sartén a fuego vivo. Ponga el pollo con el lado de la piel hacia abajo y fría unos 2 minutos o hasta que esté dorado. Coloque en una fuente para el horno y deje unos 30 minutos en el horno precalentado a 150º C.
Para el pilaf, caliente el aceite y la mantequilla en una cacerola de base gruesa a fuego medio. Agregue las cebollas y cueza unos 3 minutos o hasta que se ablanden. Añada las raíces de cilantro, las hojas de lima kafir y las guindillas y deje otro minuto más. Incorpore el arroz a la cacerola y deje unos 2 minutos. Añada el caldo y casi toda el agua a la cacerola. Tape y deje a fuego medio-lento unos 15 minutos o hasta que el arroz esté listo y el líquido se haya absorbido. Puede añadir más agua si es preciso. Retire las hojas de lima y el cilantro.
Para servir, ponga el pilaf en cuencos a un lado de un plato individual y el pollo en el plato. Lo puede acompañar con tomate encurtido o *chutney* picante de mango.
Para 4 personas.

cuscús a la menta con tomates fritos

trucha marina rebozada con sésamo

cordero con puré de ajo

pilaf de arroz jazmín con pollo a la sal

tallarines con espárragos y *ricotta* al horno

cerdo al jengibre con lentejas

espaguetis con limón, guindilla, ajo y ruqueta

750 g de espaguetis, tallarines o cintas frescos
3-4 cucharadas de aceite de oliva ligero
2 dientes de ajo machacados
4 cucharadas de alcaparras pequeñas
1 ¹⁄₂ cucharaditas de copos de guindilla secos o 3 guindillas
    rojas frescas, sin semillas y picadas
2 cucharadas de ralladura fina de limón
3 cucharadas de zumo de limón
3-4 tazas de hojas de ruqueta picadas gruesas
¾ de taza de queso parmesano rallado
pimienta negra triturada

Cueza los espaguetis en una olla con agua hirviendo hasta
que estén *al dente*. Mientras se cuece la pasta, caliente
aceite en una cacerola grande a fuego vivo. Saltee el ajo
y las alcaparras durante 1 minuto. Añada la guindilla, la
ralladura y el zumo de limón y deje 1 minuto más. Escurra
la pasta y mezcle con la pasta de ajo, la ruqueta y el
parmesano. Mezcle todo bien y sirva bien espolvoreado con
pimienta negra y acompañado de pan crujiente caliente.
Para 6 personas como entrante o para 4 (con ensalada)
como plato principal.

tallarines con espárragos y *ricotta* al horno

500 g de tallarines secos
2 cucharadas de mantequilla
2 cucharadas de aceite
¾ de taza de avellanas picadas
3 cucharadas de hojas de salvia
2 dientes de ajo machacados
3 cucharadas de zumo de limón
sal marina y pimienta negra triturada
3 manojos (600 g) de espárragos, sin puntas y escaldados
150 g de hojas de espinaca tierna
300 g de *ricotta* al horno, en rodajas
vinagre balsámico

Cueza los tallarines en una cacerola con agua hirviendo
durante 10-12 minutos o hasta que estén *al dente*.
Mientras se cuece la pasta, caliente la mantequilla y el aceite
en una sartén a fuego vivo. Ponga las avellanas y la salvia en
la sartén y deje unos 2-3 minutos o hasta que las avellanas
estén doradas. Agregue el ajo y deje 1 minuto más. Incorpore
el zumo de limón, la sal y la pimienta, los espárragos y los
tallarines escurridos y remueva para mezclar.
Para servir, disponga las hojas de espinaca en platos
individuales y las rodajas de ricotta encima. Coloque
los tallarines encima y rocíe con el vinagre balsámico.
Para 6 personas como entrante o 4 como plato principal.

cerdo al jengibre con lentejas

1 cucharada de aceite
2 cucharadas de jengibre cortado en tiras finas
1 cucharada de azúcar moreno
2 cucharadas de zumo de lima
1 cucharada de vinagre balsámico
750 g de medallones de filete de cerdo de unos 3 cm de grosor
lentejas refritas
1 ¹⁄₂ tazas de lentejas
2 ¹⁄₂ tazas de agua
1 cucharada de aceite
2 cucharaditas de semillas de comino
1 cucharada de zumo de lima
2 cucharadas de hojas de cilantro picadas
sal marina
pimienta negra triturada

Caliente el aceite en una sartén a fuego vivo. Fría el jengibre
durante 2 minutos o hasta que tenga un color dorado pálido.
Añada el azúcar, el zumo de lima y el vinagre y deje hasta
que espese, después retire de la sartén y reserve.
Para preparar las lentejas refritas, póngalas en una cacerola
con agua y lleve a ebullición. Baje el fuego. Tape y deje cocer
de 5 a 8 minutos o hasta que se haya absorbido el líquido
y las lentejas estén tiernas. Caliente aceite en una sartén
a fuego alto. Ponga las semillas de comino y deje durante
1 minuto. Añada las lentejas, el zumo de lima, el cilantro, la
sal y la pimienta y deje, removiendo, unos 5 minutos o hasta
que las lentejas estén tiernas y calientes.
Fría la carne de cerdo en una sartén a fuego vivo durante
2-3 minutos por lado o hasta que esté a su gusto, después
vierta encima el jengibre caramelizado y caliente durante
1 minuto. Para servir, ponga las lentejas en un plato y
añada por encima el cerdo con el almíbar de jengibre.
Para 4 personas.

espaguetis con limón, guindilla, ajo y ruqueta ▶

tamarillos macerados en *sauternes*

6 tamarillos (tomates de árbol)
1 taza de agua
½ taza de azúcar
1 vaina de vainilla* partida por la mitad
250 ml de *sauternes* o *riesling* de la última cosecha

Ponga los tamarillos en una cacerola de agua hirviendo y deje cocer durante 1 minuto, después escurra y quite la piel. Corte por la mitad, dejando el extremo del rabillo intacto. Ponga el agua, el azúcar y la vaina de vainilla en una cacerola a fuego suave hasta que se disuelva el azúcar. Lleve el almíbar a ebullición y deje unos 3 minutos a fuego lento. Incorpore los tamarillos y el *sauternes* y retire la cacerola del fuego. Deje macerar un mínimo de 1 hora o toda la noche. Sirva los tamarillos en cuencos hondos con nata líquida espesa a un lado. Para 6 personas.

compota crujiente de ciruela y fresa

3 tazas de ciruelas otoñales maduras, picadas
1 taza de fresas partidas por la mitad y sin el hollejo
2-3 cucharadas de azúcar
½ cucharadita de canela molida
2 cucharadas de zumo de limón
aderezo
½ taza de azúcar moreno
⅔ de taza de copos de avena
¼ de taza de harina
90 g de mantequilla ablandada
1 cucharadita extra de canela molida

Mezcle la fruta con el azúcar, la canela y el zumo de limón. Divida la mezcla en 4 tarrinas.
Para el aderezo, mezcle el azúcar con la harina, la mantequilla y la canela extra. Apile encima de la fruta. Ponga las tarrinas en el horno precalentado a 180° y hornee unos 25 minutos o hasta que el recubrimiento esté dorado y crujiente y la fruta blanda. Sirva caliente o fría con helado de vainilla. Para 4 personas.

melocotones al *marsala* con *mascarpone*

⅓ de taza de vino de *marsala*
2 cucharadas de azúcar moreno
2 cucharadas de zumo de naranja
4 melocotones partidos por la mitad
150 g de *mascarpone**
1 ½ cucharadas de azúcar glas
3 cucharadas extra de *marsala*

Mezcle el vino de *marsala* con el azúcar y el zumo de naranja y remueva hasta que se haya disuelto el azúcar. Vierta la mezcla sobre los melocotones y deje macerar unos 20 minutos.
Mezcle el *mascarpone* con el azúcar glas hasta que esté suave. Ponga los melocotones y el adobo en una sartén precalentada y cueza unos 2-3 minutos por cada lado o hasta que estén dorados.
Para servir ponga los melocotones en un plato, con una cucharada de *mascarpone* al lado y haga una pequeña incisión en el queso. Llene el hueco con el *marsala* extra. Vierta el zumo de la sartén por encima de los melocotones y sirva. Para 4 personas.

tamarillos macerados en *sauternes*

melocotones al *marsala* con *mascarpone*

compota crujiente de ciruela y fresa

ideas para menús

cena improvisada para 4

espaguetis con limón, guindilla, ajo y ruqueta
melocotones al *marsala* con *mascarpone*

PREPARACIÓN DE LOS ALIMENTOS
Como plato principal sirva los espaguetis con limón, guindilla, ajo y ruqueta y acompáñelos con pan. Termine con un postre realmente sencillo de fruta asada, como los melocotones al *marsala* con *mascarpone*. Puede cambiar los melocotones por peras o cualquier otra fruta que se pueda asar. Si no tiene *mascarpone*, acompañe con nata líquida espesa o un helado de buena calidad.

SUGERENCIAS PARA BEBIDAS
Llene las copas con vino espumoso o un alegre y refrescante vino blanco. Si tiene algunas aceitunas maceradas en la nevera, sírvalas en un plato. Es mejor acompañar la pasta especiada con un *sauvignon* blanco fresco, un *semillon* o una mezcla de los dos. Remate el postre con un buen vino dulce, bien frío.

comida escolar para 6

ensalada de ruqueta con pan crujiente al parmesano
cordero con puré de ajo
tamarillos macerados en *sauternes*

PREPARACIÓN DE LOS ALIMENTOS
Empiece con algo sencillo y ligero, como la ensalada de ruqueta (x 1½). Si tiene tiempo, prepare el pan con antelación y guarde en un recipiente hermético. Como plato principal, pruebe las chuletas de cordero (x 1½); si lo desea, déjelas en adobo desde la mañana del día de la cena. Ponga un cuenco grande con espinacas hervidas, montones de pimienta negra triturada y zumo de limón en el centro de la mesa. Termine con los tamarillos como postre. Sírvalos fríos en los meses calurosos y calientes cuando haga fresco.

SUGERENCIAS PARA BEBIDAS
La ensalada de ruqueta, que lleva pimienta, combina bien con un *chardonnay* con ligero gusto a madera; sin embargo, personalmente prefiero servirla con un *sauvignon* blanco. El cordero, con su mostaza, se puede acompañar con *cabernet sauvignon* o *shiraz*. Sirva los tamarillos con un vino dulce de postre, con fuerte sabor a fruta y a miel.

platos sencillos para 8

hinojo asado y ensalada de aceitunas
***pilaf* de arroz jazmín con pollo a la sal**
tamarillos macerados en *sauternes*
compota crujiente de ciruela y fresa

PREPARACIÓN DE LOS ALIMENTOS
El hinojo asado con ensalada de aceitunas (x 2) es un entrante estupendo que puede preparar con antelación. Puede servirlo frío o calentar las verduras en el horno. El *pilaf* de arroz jazmín con pollo a la sal (x 2) es fácil de preparar en cantidades superiores. Sirva el arroz con unas judías verdes o serpentiformes al vapor. Como postre, puede escoger entre los tamarillos o la compota crujiente de ciruela y fresa; ambos se pueden preparar con antelación.

SUGERENCIAS PARA BEBIDAS
Un *chardonnay* de buen cuerpo y sabor a madera, o un atrevido *pinot noir* combinarán muy bien con la ensalada. Puede servir una combinación diferente de los mismos vinos con el plato principal. Para el postre, sirva un *riesling* de la última cosecha.

menú rápido para 6

cuscús a la menta con tomates fritos
trucha marina rebozada con sésamo
compota crujiente de ciruela y fresa

PREPARACIÓN DE LOS ALIMENTOS
Para el entrante prepare el cuscús con antelación, sin añadirle la menta. Todo lo que tendrá que hacer cuando lleguen los invitados será freír los tomates y calentar el cuscús. Como plato principal, la trucha marina rebozada con sésamo y verduras no sólo tiene un magnífico aspecto, sino que su combinación de sabores es estupenda. Termine con quesos y fruta, o si tiene tiempo prepare la compota crujiente de ciruela y fresa. Haga la compra el día anterior, excepto la trucha, que deberá adquirir el mismo día de la cena.

SUGERENCIAS PARA BEBIDAS
Un *semillon* o un *sauvignon* blanco, o una mezcla de los dos, quedará bien con el sabor a cítrico del cuscús. Un *chardonnay* o un *semillon* añejos, o un ligero y picante *pinot noir* complementará la complejidad del salmón. Con el postre, pruebe un licor de moscatel o Tokay, o bien un vino de Oporto añejo.

comida campestre

elementos básicos

Si dispone de una pequeña selección de utensilios de buena calidad le resultará mucho más fácil trabajar en la cocina. No hace falta tener todos y cada uno de los cacharros que existen o se pasará el día fregando. Recuerde cuando haga sus compras que el precio suele ser una indicación de la calidad y duración del utensilio.

fuentes y moldes para el horno

Antes que nada, compre una fuente de buena calidad. Es necesario tener una fuente para el horno sólida, de buena calidad y con los lados anchos. La misma regla es aplicable a los moldes para pasteles. Los que son baratos se pueden deformar, oxidar y doblar. Compre algunos moldes para tartas desmontables y séquelos en el horno caliente después de limpiarlos.

cuchillos

Un juego básico es todo lo que necesita. Compre los cuchillos de una buena marca, que tengan unos mangos sólidos y con remaches. El juego básico se compone de un cuchillo de cocina grande y otro mediano para picar, uno pequeño para pelar y uno de sierra. También puede adquirir uno de carnicero y otro para quitar los huesos y cortar filetes. Además de ello, la única pieza obligatoria es un afilador para mantener los cuchillos en buen estado.

cazos y cacerolas

Invierta en un juego de cazos y cacerolas que le pueda durar tranquilamente 20 años. Escoja una buena selección de tamaño pequeño, medio y grande. Quizá también quiera tener una olla lo suficientemente grande para preparar caldo o sopa. Escoja las cacerolas que tengan una base gruesa y un recubrimiento de cobre o aluminio para una buena conducción del calor.

sartenes

Con un par de sartenes será suficiente, normalmente con una pequeña antiadherente para preparar tortillas o panqueques y otra grande, de base gruesa, es suficiente. Yo prefiero tener como mínimo una sartén antiadherente para poder preparar los alimentos más delicados sin dificultad.

colador cónico, escurridores

Un buen colador cónico es estupendo para colar salsas o pasta. Utilice los escurridores para los alimentos envasados en botes o para limpiar las verduras.

sartenes

cazos y cacerolas

cuchillos

fuentes y moldes para el horno

colador cónico y escurridor

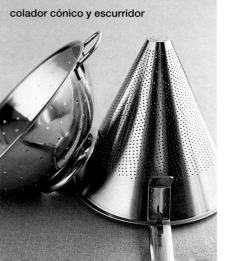

chuletas de ternera con membrillo frito

cordero asado a las hierbas con manzana

chuletas de ternera con membrillo frito

2 cucharadas de aceite
2 cucharadas de hojas de salvia
pimienta negra triturada
4 chuletas de ternera gruesas
2 cucharadas de mantequilla
1 membrillo, pelado, sin corazón y en rodajas
½ taza de agua

Caliente aceite en una sartén a fuego alto y fría la salvia y la pimienta durante 1 minuto. Incorpore las chuletas y deje cocer 1 minuto por cada lado o hasta que la carne esté sellada y dorada. Ponga las chuletas en una fuente para el horno y vierta encima el jugo de la sartén.
Caliente la mantequilla en una sartén a fuego medio y fría las rodajas de membrillo unos 2 minutos por cada lado. Añada el agua a la sartén, tape y deje unos 5 minutos o hasta que se haya absorbido el agua. Ponga el membrillo en la fuente para el horno con las chuletas.
Tape la fuente y ase en el horno precalentado a 180º C durante 10-15 minutos o hasta que la ternera esté a su gusto. Sirva con los membrillos y unas alubias con mantequilla y pimienta. Para 4 personas.

cordero asado a las hierbas con manzana

1 pierna de cordero grande, sin el hueso grande pero
    conservando el de la espinilla
8 ramitas de tomillo
3 cebollas rojas partidas por la mitad
1 cucharada de aceite
3 manzanas verdes para cocinar, partidas por la mitad
relleno
1 cucharada de aceite
2 cebollas picadas
2 cucharadas de hojas de orégano
2 cucharadas de hojas de tomillo
3 tazas de pan rallado
3 cucharadas de mostaza sin semillas

Para el relleno ponga el aceite en una sartén a fuego medio. Fría la cebolla hasta que esté dorada. Agregue el orégano y el tomillo y deje otro minuto. Mezcle con el pan rallado y la mostaza. Inserte el relleno en el hueco dejado por el hueso grande de la pierna de cordero. Coloque los ramitos de tomillo alrededor de la pierna y átelos con cordel. Ponga el cordero en una fuente con las cebollas rojas untadas con aceite. Ase el cordero en el horno precalentado a 200º C durante 25 minutos. Añada las manzanas y deje cocer otros 25 minutos o hasta que la carne esté a su gusto y las manzanas y las cebollas estén muy tiernas. Corte el cordero en lonchas y sirva con las cebollas y las manzanas. Para 4 personas.

pollo asado al ajo con puré de aguaturmas

2 cabezas de ajos
1 cucharada de aceite de oliva
4 pechugas de pollo con hueso pero sin piel
pimienta negra triturada
puré de aguaturmas
750 g de aguaturmas
3 patatas para puré, peladas y picadas
¼ de taza de nata líquida
2 cucharadas de mantequilla
pimienta negra triturada y sal marina

Para preparar el pollo, ponga las cabezas de ajo enteras y sin pelar en una fuente para el horno y rocíe con aceite de oliva. Deje el ajo en el horno precalentado a 200º C durante 20 minutos o hasta que esté dorado y tierno. Retire de la fuente y quite la piel de los ajos. Extienda el ajo por la carne del pollo y espolvoree con pimienta. Coloque en una fuente para el horno, cubra y ase en el horno precalentado a 150º C durante unos 30 minutos.
Para el puré de aguaturmas ponga una cacerola con agua a fuego vivo sin que llegue a hervir. Pele las aguaturmas y póngalas inmediatamente en el agua para evitar que se decoloren. Añada las patatas a la cacerola. Deje cocer unos 8-12 minutos o hasta que estén tiernas y después escurra. Ponga la nata líquida y la mantequilla en una cacerola y caliente hasta que casi llegue a hervir. Vierta la mezcla caliente por encima de la verdura escurrida y haga un puré suave, añadiendo sal y pimienta. Sirva el pollo sobre el puré y con unas judías verdes al vapor. Para 4 personas.

sopa de tomate asado

14 tomates maduros partidos por la mitad
1 cabeza de ajos
2 cebollas
4 tazas de caldo de verduras*
3 cucharadas de albahaca picada
2 cucharadas de menta picada
pimienta negra triturada y sal marina

Ponga los tomates, el ajo y las cebollas en una fuente para el horno. Ponga la fuente en el horno precalentado a 160º C y deje asar unos 45 minutos o hasta que los tomates estén muy blandos y el ajo y la cebolla dorados.
Quite la piel del ajo y de la cebolla y pique la cebolla. En una cacerola cueza el ajo y la cebolla a fuego medio unos 3 minutos. Ponga la mezcla junto con los tomates y la mitad del caldo en una batidora o picadora y bata ligeramente. Vuelva a poner en la cacerola. Añada el resto de caldo, la albahaca, la menta y salpimente al gusto. Deje cocer la sopa a fuego suave unos 5 minutos. Para 4 a 6 personas como primer plato.

pollo asado al ajo con puré de aguaturmas

sopa de tomate asado

polenta con rosbif al vino tinto

espinillas de cordero encurtido al horno

polenta con rosbif al vino tinto

600 g de filete de lomo de buey
2 tazas de vino tinto
1 cucharada de pimienta negra triturada
3 cucharadas de romero picado
3 cucharadas de tomillo limonero picado
1 cucharada de bayas de enebro machacadas
polenta
1 litro de agua caliente
2 tazas de leche
1 ¼ tazas de polenta
sal marina y pimienta
85 g de mantequilla
½ taza de queso parmesano rallado

Retire la grasa o el tendón de la carne de buey. Coloque
en una fuente llana con el vino tinto y deje macerar unas
2 horas, dándole la vuelta una vez. Retire y seque la carne.
Mezcle la pimienta con el romero, el tomillo y el enebro.
Reboce la carne con esta mezcla. Ponga la carne en una
fuente para el horno y ase en el horno precalentado a 150° C
durante 45 minutos o hasta que esté cocida a su gusto.
Para preparar la polenta, ponga el agua y la leche en una
cacerola de base gruesa a fuego medio sin que llegue a
hervir. Vierta lentamente la polenta mientras remueve.
Baje el fuego al mínimo. Cubra y deje cocer, removiendo de
vez en cuando con una cuchara de madera para que no se
pegue, durante 20-25 minutos. Añada la sal, la pimienta, la
mantequilla y el parmesano.
Para servir, coloque la polenta en platos individuales. Corte la
carne en lonchas y sírvala sobre la polenta. Para 4 personas.

risotto de verduras asadas

750 g de boniato, pelado y picado
8 tomates pera
2 puerros partidos por la mitad
2-3 cucharadas de aceite de oliva o de hierbas
2 cucharadas de hojas de tomillo limonero
pimienta negra triturada
risotto
4-4 ½ tazas de caldo de pollo* o de verduras*
1 taza de vino blanco
1 cucharada de aceite
2 tazas de arroz arborio*
1 cucharada de hojas de romero
2 cucharaditas de ralladura de limón
½ taza de queso parmesano rallado
pimienta negra triturada y sal marina

Para preparar las verduras, ponga el boniato, los tomates
y los puerros en una fuente para el horno. Rocíe con aceite
de oliva y espolvoree con el tomillo limonero y la pimienta.
Pinche los tomates con un tenedor, ponga las verduras en
el horno precalentado a 200° C durante 35 minutos o hasta
que estén tiernas y doradas.
Para el *risotto,* ponga el caldo y el vino en una cacerola a
fuego medio y deje sin que llegue a hervir. Caliente aceite en
una cacerola grande a fuego medio. Ponga el arroz con el
romero y la ralladura de limón y cueza unos 3-4 minutos o
hasta que el arroz esté trasparente. Agregue 1 taza de la
mezcla de caldo al arroz y remueva hasta que se haya
absorbido el líquido. Siga añadiendo caldo, una taza cada
vez, y removiendo hasta que se absorba el líquido. Cuando
haya utilizado todo el caldo, el arroz debería estar tierno y
cremoso. Si todavía está un poco duro, añada un poco de
agua hirviendo. Mezcle con el queso parmesano y
salpimente al gusto.
Para servir, ponga el *risotto* en platos individuales y añada
encima las verduras asadas. Sírvalo con parmesano y
pimienta extra. Para 4-6 personas.

risotto de verduras asadas ▶

ternera asada a las hierbas con chirivías azucaradas

pan de trigo y centeno

ternera asada a las hierbas con chirivías azucaradas

2 cabezas de ajos
aceite de oliva
1 kg de costillas de ternera
6 ramitas de hojas de laurel
8 ramitas de romero
8 ramitas de orégano
2 tazas de vino blanco
chirivías azucaradas
750 g de chirivías pequeñas, peladas
2 cucharadas de aceite
3 cucharadas de azúcar moreno
2 cucharadas de mantequilla

Ponga el ajo en una fuente para el horno, rocíe con un poco de aceite y deje en el horno precalentado a 200° C unos 20 minutos o hasta que esté tierno y dorado. Quite la piel de los ajos y colóquelos encima de la carne.
Amontone las hojas de laurel, el romero y el orégano en una fuente para el horno y vierta el vino encima. Coloque la carne sobre las hierbas y el vino y ase al horno a 200° C durante unos 35-45 minutos. Mientras se asa la ternera, parta las chirivías por la mitad y coloque en una fuente para el horno con aceite. Ase a 200° C durante 20 minutos, después espolvoree con el azúcar y unte con la mantequilla.
Deje cocer unos 10 minutos más, agitando la bandeja para que las chirivías queden recubiertas de azúcar.
Para servir corte la carne y acompáñela con las chirivías azucaradas. Para 4 personas.

espinillas de cordero encurtido al horno

12 cebollas muy pequeñas o para encurtir
3 dientes de ajo pelados
1 cucharada de bayas de enebro
2 cucharaditas de piel de limón cortada en tiras finas
8 espinillas de cordero encurtido (véase nota)
4 tazas de caldo de buey*
1 taza de vino tinto
8 chirivías muy pequeñas, peladas
4 tomates pera pelados
1/3 de taza de perejil de hoja plana

Ponga las cebollas, el ajo, el enebro, la piel de limón, las espinillas de cordero, el caldo, el vino, las chirivías y los tomates en una fuente grande para el horno. Cubra y deje en el horno precalentado a 180° C durante 45 minutos. Déle la vuelta a las espinillas, tape y deje otros 30 minutos o hasta que estén tiernas. Sirva en cuencos con el jugo y perejil.
Nota: pídale a su carnicero que le prepare las espinillas de cordero en salmuera o encurtido durante uno o dos días.

pan de trigo y centeno

1 1/2 tazas de agua caliente
2 1/2 cucharaditas de levadura seca activa
1 taza de harina blanca de trigo
1/2 taza de harina de centeno
1/2 taza de harina integral
1 cucharadita extra de levadura seca activa
1 taza extra de agua caliente
3 1/2-4 tazas extra de harina blanca de trigo
1 taza extra de harina integral
1/2 taza de granos de trigo un poco machacados
1 cucharada de sal marina

Ponga el agua y la levadura en un cuenco y deje reposar hasta que se forme espuma en la superficie. Mezcle las tres harinas con el agua y la levadura hasta que la masa esté suave. Cubra el cuenco con un paño de cocina húmedo y deje reposar 1 hora o hasta que la masa haya subido. Ponga la masa en el vaso de una batidora eléctrica equipado con un brazo de amasar. Mezcle la levadura y el agua extras y deje reposar 5 minutos. Con el motor en marcha, añada al cuenco la mezcla extra de levadura y también las harinas extra, el trigo machacado y la sal. Vaya formando una masa y después trabaje con el brazo eléctrico durante otros 10 minutos.
Cubra la masa y deje que fermente* y doble su tamaño, aproximadamente 1 1/2-2 horas. Coloque la masa sobre una superficie ligeramente enharinada y trabaje ligeramente. Déle forma de barra de pan y deje fermentar* una hora más.
Para cocer, precaliente una piedra para hornear o unas cuantas baldosas de terracota en el horno a 220° C durante 20 minutos. Llene un pulverizador con agua y pulverice las paredes del horno para formar vapor y después cierre la puerta rápidamente. Haga unos cortes en la parte superior del pan y deslice sobre la piedra o las baldosas precalentadas. Pulverice de nuevo las paredes del horno con agua y cierre rápidamente la puerta.
Baje la temperatura a 200° C y cueza el pan durante 1 hora o hasta que la corteza esté bien dorada y el pan suene a hueco cuando lo golpee. Sirva caliente con mantequilla de la mejor calidad que pueda encontrar. Ingredientes calculados para 1 pan grande.
Nota: puede que la masa parezca pegajosa, pero el trigo absorberá la humedad durante el proceso de fermentación*.

membrillo asado con *panna cotta* de membrillo

pudín de caqui al vapor

membrillo asado con *panna cotta* de membrillo

4 membrillos pelados y partidos por la mitad
3 tazas de azúcar
6 tazas de agua hirviendo
1 vaina de vainilla
panna cotta de membrillo
2 tazas de nata líquida
1/2 taza de leche
3 cucharaditas de gelatina
1/4 de taza de agua hirviendo

Ponga los membrillos en una fuente grande para el horno. Disuelva el azúcar en el agua. Añada la mezcla y la vainilla a la fuente y cubra. Deje los membrillos en el horno precalentado a 150° C, dándoles la vuelta un par de veces, durante 4-5 horas o hasta que estén tiernos y rosados. Para preparar la *panna cotta* de membrillo retire 1 taza de líquido caliente de los membrillos del horno y ponga en una cacerola. Lleve a ebullición y deje a fuego lento hasta que sólo quede 1/2 taza de líquido. Agregue la nata líquida y la leche y caliente. Espolvoree la gelatina sobre el agua hirviendo y deslía. Añada la mezcla de gelatina a la de la cacerola. Vierta en 8 tarrinas pequeñas y engrasadas y deje unas 4 horas en la nevera o hasta que esté cuajada. Antes de servir, caliente suavemente los membrillos en el almíbar que quede en el horno y colóquelos en platos individuales. Desmolde la *panna cotta* y ponga en platitos individuales. Para 8 personas.

pudín de caqui al vapor

1 1/2 tazas de harina con levadura
1/2 cucharadita de levadura en polvo
60 g de mantequilla ablandada
2 huevos
2/3 de taza de azúcar
3 cucharadas de almíbar dorado
1 1/2 tazas de puré de caqui

Ponga la harina, la levadura en polvo, la mantequilla, los huevos, el azúcar, el almíbar dorado y el puré de caqui en el vaso de una batidora eléctrica y bata unos 2-3 minutos hasta que esté todo bien mezclado. Vierta la mezcla en un molde para pudín engrasado, cubra con papel y con una hoja de papel de aluminio y ate bien con un cordel, o cierre con una tapa que encaje bien.
Ponga el molde en una cacerola grande con agua hirviendo hasta que el agua alcance los tres cuartos de la altura del molde. Hierva el pudín durante 2 horas o hasta que al probar con un pincho de cocina vea que está cocido. Deje reposar 5 minutos antes de darle la vuelta y colocarlo en una bandeja para servir. Sirva con rodajas de caqui y un poco de nata líquida espesa con sabor a miel. Para 8 personas.

pudín de higos y *brioche*

12 rodajas grandes de brioche
5 higos cortados en rodajas gruesas
2 tazas de nata líquida
2 tazas de leche
3 huevos
1/3 de taza de azúcar
1 cucharadita de extracto de vainilla
azúcar moreno

Disponga capas alternas de *brioche* y de higos en una fuente engrasada resistente al calor con capacidad para 5 tazas. Ponga la nata líquida, la leche, los huevos, el azúcar y el extracto de vainilla en un cuenco y mezcle bien. Vierta encima del *brioche* y los higos y deje reposar 5 minutos. Espolvoree con el azúcar moreno y ponga la fuente en la bandeja para el horno. Llene la bandeja para el horno con suficiente agua caliente para que alcance la mitad de la altura de la fuente interior. Hornee el pudín en el horno precalentado a 180° C durante 25 minutos o hasta que haya cuajado. Sirva caliente con cucharadas de helado de vainilla. Para 4-6 personas.

tartaletas de crema de lima con granada

unos 350 g de pasta quebrada dulce*
1 granada
crema de lima
90 g de mantequilla
3/4 de taza de azúcar de lustre
1/2 taza de zumo de lima
2 huevos ligeramente batidos

Extienda la pasta sobre una superficie ligeramente enharinada hasta que tenga un grosor de 2 mm. Corte unos círculos que encajen en 12 moldes para tartaleta de 6 cm. Pinche la base de la pasta, forre con papel para el horno y llene con pesos para hornear o arroz crudo. Cueza los moldes en el horno precalentado a 200° C durante 4 minutos. Retire el papel y los pesos y hornee otros 4 minutos o hasta que estén dorados.
Para preparar la crema de lima, ponga la mantequilla, el azúcar, el zumo de lima y los huevos en un cuenco a prueba de calor sobre agua hirviendo. Remueva la mezcla hasta que la crema espese, después cubra y deje en la nevera hasta que esté fría.
Para servir, desgrane la granada. Con una cuchara rellene las tartaletas con la crema de lima y esparza los granos por encima. Para 12 unidades.

pudín de higos y *brioche*

tartaletas de crema de lima con granada

ideas para menús

comida familiar para 8

sopa de tomate asado
pan de trigo y centeno
cordero asado a las hierbas con manzana
pudín de caqui al vapor

PREPARACIÓN DE LOS ALIMENTOS
Prepare la sencilla sopa de tomate asado el día anterior y sírvala con el pan de trigo y centeno o compre algún pan de buena calidad para acompañar la sopa. Como plato principal, 1 pierna grande o 2 pequeñas de cordero asado a las hierbas con manzana, con unas cuantas cebollas y manzanas asadas extra será suficiente para todos. Ponga el asado en el horno antes de servir la sopa. Sirva el cordero con algunos tubérculos asados o con judías verdes y brécol al vapor. El pudín de caqui al vapor es un postre caliente muy reconfortante.

SUGERENCIAS PARA BEBIDAS
Escoja un *pinot noir* o un *cabernet sauvignon* de sabor fuerte para la sopa de tomate asado. Siga con la misma bebida para el cordero o pase a un *shiraz*. Acompañe el postre con un vino dulce servido a temperatura ambiente o un poco frío. También puede saltarse el vino dulce y tomar un café con un poco de vino de Oporto.

menú de invierno para 6

***risotto* de verduras asadas**
espinillas de cordero encurtido al horno
pudín de higos y *brioche*

PREPARACIÓN DE LOS ALIMENTOS
El *risotto* es un primer plato consistente; a continuación quedan muy bien las espinillas de cordero (x 1½) acompañadas de un gran cuenco de verduras al vapor. Puede preparar el cordero un día antes y recalentarlo. Para terminar, unos trozos de pudín de higos y *brioche* sientan estupendamente. Ponga el *brioche* y los higos en la fuente con antelación y vierta encima la crema, que también puede preparar antes de ponerlos en el horno.

SUGERENCIAS PARA BEBIDAS
Para empezar, un *cabernet sauvignon* de buen cuerpo o un *merlot* mezclado combinan muy bien con el *risotto*. Pase después a un especiado *shiraz* con el cordero y un moscatel con el pudín.

cena íntima para 2

sopa de tomate asado
ternera asada a las hierbas con chirivías azucaradas
membrillo asado con *panna cotta* de membrillo

PREPARACIÓN DE LOS ALIMENTOS
Sirva la sopa de tomate asado con un poco de pan caliente como primer plato. Puede congelar la sopa que quede para una tarde de domingo. Después de la sopa sirva la ternera asada a las hierbas con chirivías azucaradas. Acabe la cena con un poco de membrillo asado con *panna cotta* de membrillo, que puede preparar con un día de antelación

SUGERENCIAS PARA BEBIDAS
La suculenta y bien condimentada sopa de tomate quedará bien con un recio *pinot noir* o un *cabernet sauvignon*. Sirva el mismo vino con el plato principal o cambie a un *merlot* mezclado de intenso sabor. Al postre le irá bien un *riesling* frío de la última cosecha.

almuerzo de domingo para 4

polenta con rosbif al vino tinto
puré de aguaturmas
membrillo asado con *panna cotta* de membrillo

PREPARACIÓN DE LOS ALIMENTOS
Sáltese el primer plato o sirva un poco de pan caliente con algunas cremas o pastas para untar.
Puede servir la polenta con rosbif al vino tinto o el pollo asado al ajo con el puré de aguaturmas como plato principal y después el membrillo asado con *panna cotta* de postre, que puede preparar con bastante antelación.

SUGERENCIAS PARA BEBIDAS
Empiece con un *pinot* ligero para preparar el paladar de los invitados. Sirva un *cabernet sauvignon* de sabor fuerte o un *shiraz* con el rosbif; si prefiere el pollo, elija una garnacha mezclada o un *pinot noir* de sabor fuerte. Sirva los membrillos con un licor de Tokay o un vino de postre dulce y suave.

ocasiones especiales

elementos básicos

Se trata de una ocasión especial, así que sáquele brillo a su mejor cubertería y cristalería. No dude en usar los objetos antiguos heredados de su familia. Las comidas formales no son muy frecuentes, de manera que procure crear un ambiente elegante en su comedor sin caer en los excesos. Para que todo salga bien, prepare con antelación los platos que lo permitan, ponga la mesa cuidando todos los detalles y tenga las bebidas y algo para picar listo para servir cuando lleguen los invitados.

manteles y servilletas

Utilice un mantel y servilletas blancos, gruesos y grandes, o bien decídase por los estampados coloreados, que aportarán variedad, color y calidez a su mesa.

copas

Es preferible tener una cristalería completa de buena calidad, que no varias de diferentes estilos y clases. El vino blanco y tinto se pueden servir en la misma copa grande. Retire las copas de la mesa y enjuáguelas antes de servir otro tipo de vino en la misma copa. También es conveniente tener copas para el vino de postre, el Oporto, el licor y los chupitos.

cubiertos

Igual que con el vestir, unos cubiertos sencillos, clásicos y de buena calidad siempre quedan bien. Recuerde que deben ser de fácil y cómodo manejo.

vajilla

La vajilla blanca siempre queda bien y hace que los alimentos tengan un aspecto apetecible y fresco. Puede combinar algunas piezas grandes de color blanco con otras de colores.

centro de mesa

Un centro de mesa, además de ser decorativo, sirve para perfumar una habitación, tanto si se trata de un frutero con membrillos o pomelos rosados que emiten su fragancia natural, o de unas simples flores.

cubiertos

servilletas

centro de mesa

vajilla

copas

galettes de patata con huevos de codorniz

ostras con ensalada de pepino

galettes de patata con huevos de codorniz

6 huevos de codorniz
60 g de huevas de salmón
galettes de patata
8 patatas peladas y cortadas en rodajas finas
aceite de oliva
1 taza de queso parmesano rallado
pimienta negra triturada
1 puerro cortado en tiras finas

Para preparar las *galettes* de patata, unte las rodajas con un poco de aceite y espolvoree con el parmesano y la pimienta. Forme 6 montoncitos de rodajas de patata y remate con el puerro. Coloque las pilas sobre una bandeja para el horno forrada y deje en el horno precalentado a 200° C durante 20-25 minutos o hasta que estén doradas y crujientes. Para servir, escalfe los huevos de codorniz en agua caliente de 45 segundos a 1 minuto y después quite la cáscara. Coloque las *galettes* en platos individuales calientes y ponga encima un huevo partido por la mitad y un poco de huevas de salmón. Para 6 personas como primer plato.

ostras con ensalada de pepino

36 ostras recién abiertas
ensalada de pepino
1 pepino cortado en juliana
1/4 de taza de hojas de perifollo*
2 cucharadas de zumo de lima
pimienta negra triturada

Para preparar la ensalada mezcle el pepino con el perifollo, el zumo de lima y la pimienta.
Para servir, quite la ostra de su concha y en su lugar ponga una cucharada de ensalada de pepino. Coloque la ostra encima y sirva. Para 4-6 personas como entrante.

pollo asado con tomates y berenjenas

6 tomates pera partidos por la mitad
2 berenjenas pequeñas partidas por la mitad y sin semillas
aceite de oliva
pimienta
2 cucharadas de hojas de orégano
2 cucharadas de mantequilla
1 cucharada de zumo de limón
4 filetes de pechuga de pollo con piel

Ponga los tomates y las berenjenas en una fuente para el horno, rocíe con aceite y espolvoree con la pimienta y las hojas de orégano. Ase las verduras en el horno precalentado a 180° C durante 35 minutos o hasta que estén tiernas. Caliente la mantequilla y el zumo de limón en una sartén a fuego vivo. Cueza el pollo, con el lado de la piel hacia abajo, durante 3-4 minutos o hasta que esté bien dorado. Ponga el pollo sobre los tomates y la berenjena en el horno con unas cucharadas de mantequilla mezclada con el zumo de limón. Baje la temperatura a 150° C y deje unos 15 minutos o hasta que el pollo esté totalmente cocido. Sirva con el jugo del asado. Para 4 personas.

lasaña crujiente de pato

8 láminas pequeñas de *wonton*
aceite para freír
pato especiado
1 pato a la barbacoa al estilo chino*
1 cucharada de aceite
1 puerro cortado en tiras finas
120 g de setas *shiitake* frescas*
2 cucharaditas de piel de naranja cortada en tiras finas
1/4 de taza de vino chino para cocinar *(shao hsing)*

Para preparar el pato especiado, quite toda la carne, córtela en lonchas y reserve.
Caliente el aceite en una sartén o *wok* a fuego vivo. Cueza el puerro unos 6 minutos o hasta que esté dorado. Añada las setas, la piel de naranja y el vino y deje unos 2 minutos. Incorpore el pato y deje otros 2 minutos o hasta que esté bien caliente.
Fría el *wonton*, unas láminas cada vez, en aceite caliente hasta que estén doradas y crujientes; después escurra sobre papel de cocina. Ponga una lámina de *wonton* en 4 platos individuales y añada encima una cucharada de la mezcla de pato; cubra con otra lámina. Sirva inmediatamente. Para 4 personas como entrante; también puede servirla con verduras al vapor como plato principal.

pollo asado con tomates y berenjenas

cordero con corteza de aceitunas y ensalada de cuscús

lasaña crujiente de pato

atún especiado con *udon* y *dashi*

cordero con corteza de aceitunas y ensalada de cuscús

750 g de lomo alto de cordero
½ taza de aceitunas verdes
2 cucharaditas de ralladura de limón
2 cucharadas de perejil de hoja plana picado
2 cucharadas de menta picada
ensalada de cuscús
1 ½ tazas de cuscús
1 ½ tazas de caldo de verduras* hirviendo
2 cucharadas de aceite de oliva
2 cebollas en rodajas
200 g de judías verdes con las puntas recortadas
2 cucharadas extra de perejil de hoja plana
⅓ de taza de brotes de alcaparra*
2 cucharadas de zumo de limón

Retire la grasa y el tendón de la carne de cordero. Pique las aceitunas finas y mezcle con la ralladura de limón, el perejil y la menta. Extienda el aderezo por la carne y coloque sobre una fuente para el horno engrasada. Ponga la fuente en el horno precalentado a 160º C durante 30 minutos o hasta que la carne esté a su gusto.

Para la ensalada, ponga el cuscús y el caldo en un cuenco y deje reposar hasta que se haya absorbido el líquido. Caliente aceite en una sartén a fuego vivo y fría las cebollas unos 5 minutos o hasta que estén doradas. Añada las judías, el perejil extra, los brotes de alcaparra y el zumo de limón y deje cocer unos 4 minutos. Incorpore el cuscús a la sartén y caliente bien.

Para servir, ponga el cuscús en platos individuales. Corte el cordero en lonchas gruesas, coloque sobre el cuscús y sirva con gajos de limón. Para 4 personas.

chuletas de cordero al romero y puré con aceite de trufa

12 chuletas de cordero
12 ramitas de romero
1 cucharada de aceite
1 cucharada de mostaza sin semillas
puré con aceite de trufa
8 patatas para hacer puré
50 g de mantequilla
3 cucharadas de nata líquida
aceite macerado con trufa

Recorte las chuletas y ate una ramita de romero alrededor de cada una de ellas. Mezcle el aceite con la mostaza y unte con ello la carne.

Para hacer el puré con aceite de trufa, pele y pique las patatas. Cueza en una cacerola con agua hirviendo hasta que estén tiernas y después escurra. Ponga la mantequilla y la nata líquida en una cacerola hasta que se derrita la mantequilla y la nata esté caliente. Incorpore las patatas y haga un puré suave. Añada sal.

Para preparar el cordero, precaliente una sartén o el grill a fuego alto. Ponga las chuletas en la sartén y fría durante 1-2 minutos por cada lado o hasta que esté a su gusto.

Para servir, ponga el puré en platos individuales y rocíe con el aceite de trufa. Ponga las chuletas al lado del puré. Sirva con espárragos al vapor. Para 4 personas.

chuletas de cordero al romero y puré con aceite de trufa

salmón asado con especias

pasta a la tinta de calamar con salmón y huevas

atún especiado con *udon* y *dashi*

3 cucharadas de aceite de guindilla no muy picante
2 cucharadas de zumo de lima
2 cucharadas de vinagre balsámico
1 cucharada de jengibre cortado en tiras finas
1 cucharada de cilantro picado
4 rodajas de atún
200 g de fideos *udon**
3 tazas de caldo *dashi**
2 chalotas en rodajas

Mezcle el aceite de guindilla con el zumo de lima, el vinagre balsámico, el jengibre y el cilantro. Ponga el atún en este adobo y deje 2 horas en la nevera, dando la vuelta una vez. Para servir, caliente los fideos *udon* en agua hirviendo, escurra y coloque en boles. Vierta encima el caldo *dashi* caliente y las chalotas. Precaliente una sartén o grill a fuego alto. Cueza el atún de 30 segundos a 1 minuto por cada lado, o hasta que esté a su gusto. Sirva el atún encima de los fideos y del caldo. Para 4 personas.

salmón asado con especias

1 filete de salmón sin piel de 650 g
2 cucharadas de semillas de cilantro
pimienta verde triturada
3 cucharadas de aceite de oliva
1 1/2 tazas de nata líquida
1 hoja de lima kafir*
1 cucharada de hojas de cilantro
1 lámina de *nori** cortada fina
caviar para servir, opcional

Quite las espinas del salmón que sean visibles, lave y seque. Tueste las semillas de cilantro en una sartén a fuego medio durante 3-5 minutos o hasta que desprendan aroma. Muela las semillas de cilantro en un mortero y extienda sobre el salmón. Corte en 4 trozos y espolvoree ligeramente con pimienta negra. Coloque sobre una bandeja para el horno engrasada con aceite. Deje en el horno precalentado a 120° C durante 20 minutos o hasta que el salmón haya cambiado de color y esté medio cocido.
Mientras se cuece el salmón, ponga la nata líquida, la hoja de lima kafir y las hojas de cilantro en una cacerola a fuego suave, y deje hasta que la salsa se haya reducido a la mitad. Para servir, ponga un poco de salsa en platos individuales, coloque un trozo de salmón encima, espolvoree con el *nori* y ponga una cucharada de caviar a un lado. Sirva con verduras al vapor. Para 4 personas como primer plato.

pasta a la tinta de calamar con salmón y huevas

500 g de pasta fresca a la tinta de calamar
90 g de mantequilla
3 cucharadas de zumo de lima
2 cucharadas de ramitos de perifollo*
400 g de filetes gruesos de salmón
pimienta negra triturada
100 g de huevas de salmón

Cueza la pasta en una cacerola con agua hirviendo durante 5-6 minutos o hasta que esté *al dente*. Mientras se cuece la pasta, ponga la mantequilla y el zumo de lima en una sartén a fuego vivo y deje hasta que espume. Añada el perifollo y el salmón y deje cocer unos 30 segundos por lado.
Ponga la pasta en platos individuales precalentados y coloque el salmón encima, con el jugo de la sartén, un poco de pimienta y las huevas de salmón. Sirva inmediatamente.
Para 6 personas como entrante o para 4 como plato principal.

colas de cigala a la parrilla con *risotto* de limón y cebollinos

8 cigalas frescas o cangrejos de agua dulce
60 g de mantequilla derretida
1 cucharada de hojas de salvia pequeñas
pimienta negra triturada
**risotto* de limón y cebollinos*
4 1/2 tazas de caldo de verduras* o de pollo*
1 taza de vino blanco seco
2 cucharadas de aceite
2 cucharaditas de ralladura de limón
2 tazas de arroz arborio*
3 cucharadas de zumo de limón
1/4 de taza de cebollinos cortados
1/2 taza de queso parmesano rallado

Para el *risotto*, deje el caldo y el vino en una cacerola a fuego medio. Ponga aceite en una cacerola grande y deje cocer a fuego medio la ralladura de limón y el arroz durante 1 minuto. Agregue el caldo caliente al arroz, unas cuantas tazas cada vez, removiendo con frecuencia para que el arroz no se pegue y el *risotto* adquiera una textura cremosa. Siga añadiendo caldo hasta que se haya absorbido el líquido y el arroz esté blando. Si aún no lo está, añada un poco de agua hirviendo. Mezcle el zumo de limón, los cebollinos y el parmesano con el arroz. Mientras se hace el *risotto*, prepare las cigalas. Corte las colas por la mitad, retire las pinzas y reserve. Ponga las colas y las pinzas en una bandeja para el horno, úntelas con mantequilla y añada la salvia y la pimienta. Coloque la bandeja bajo el grill caliente precalentado y deje unos 2-3 minutos o hasta que las cigalas estén cocidas. Para 4 personas.

colas de cigala a la parrilla con *risotto* de limón y cebollinos

pudín de *risotto* caramelizado a la vainilla

2 cucharadas de mantequilla
1 taza de arroz arborio*
1 vaina de vainilla partida por la mitad
2 tazas de agua
2 tazas de leche
3 cucharadas de azúcar
1 cucharadita de extracto de vainilla
1 taza de nata líquida
2 yemas de huevo
azúcar extra

Caliente la mantequilla en una cacerola a fuego moderado. Añada el arroz y cueza unos 3 minutos y después agregue la vaina de vainilla.
Deje el agua y la leche en una cacerola a fuego medio. Añada a la mezcla del arroz, 1 taza cada vez, removiendo de vez en cuando hasta que se haya absorbido el líquido. Retire la vaina de vainilla y agregue el azúcar y el extracto de vainilla al arroz. Bata la nata líquida con las yemas de huevo, incorpore al *risotto* y deje cocer hasta que se haya absorbido la nata.
Para servir, ponga el pudín de *risotto* en platos individuales y espolvoree con el azúcar extra. Caliente una cuchara metálica grande de cocina o un hierro de quemar* a fuego vivo. Pase la cuchara o el hierro por el azúcar hasta que se derrita y se dore. Sirva el pudín caramelizado con ciruelas rojas calientes. Para 4-6 personas.

pastel de chocolate y frambuesa

185 g de mantequilla
185 g de chocolate negro picado
3 huevos
1/2 cucharadita de extracto de vainilla
1 1/2 tazas de azúcar de lustre
1 taza de harina
2/3 de taza de harina con levadura
1/2 taza de almendras molidas
1 taza de frambuesas

Ponga la mantequilla y el chocolate en una cacerola a fuego suave y remueva hasta que esté derretido; a continuación, deje enfriar ligeramente.
Ponga los huevos, el extracto de vainilla y el azúcar en un cuenco y bata hasta que esté ligero y espeso. Mezcle con las harinas, las almendras, la mezcla de chocolate y la mitad de las frambuesas.
Vierta la mezcla en un molde redondo para pastel de 20 cm forrado con papel para el horno. Esparza las frambuesas restantes por encima y hornee en el horno precalentado a 180° C durante 35 minutos o hasta que la parte superior esté firme al tacto. Deje enfriar el pastel antes de cortarlo y sirva con café exprés, unas frambuesas extra y nata líquida espesa. Para 8-10 personas.

pudín de *risotto* caramelizado a la vainilla

pastel de chocolate y frambuesa

tartaletas de crema de limón

unos 350 g de pasta quebrada dulce*
relleno
³/₄ **de taza de azúcar lustre**
3 huevos
³/₄ **de taza de nata líquida**
¹/₂ **taza de zumo de limón**
1 cucharadita de ralladura de limón

Extienda la pasta sobre una superficie ligeramente enharinada hasta que tenga 2 mm de grosor. Corte 6 círculos para que encajen en unos moldes de capacidad para 1 taza. Pinche la pasta, forre con papel antiadherente y llene con arroz crudo o unos pesos para hornear. Hornee la pasta en el horno precalentado a 200° C durante 5 minutos. Retire el arroz o los pesos y el papel y deje cocer otros 4 minutos más o hasta que esté dorada.
Para el relleno, ponga el azúcar, los huevos, la nata líquida, el zumo de limón y la ralladura en un cuenco y mezcle bien. Vierta en las tartaletas y hornee a 160° C durante 20 minutos o hasta que el relleno haya cuajado. Deje enfriar y sirva con nata líquida espesa y unas frambuesas o arándanos.
Para 6 personas.

helado de cucurucho

helado de vainilla
cucuruchos
³/₄ **de taza de azúcar glas**
1 taza de harina
3 claras de huevo
90 g de mantequilla derretida

Para hacer los cucuruchos, mezcle el azúcar glas con la harina, las claras de huevo y la mantequilla y deje reposar 10 minutos. Coja 2 cucharadas de la mezcla y extienda en forma de círculo sobre una bandeja para el horno forrada con papel antiadherente. Deje en el horno precalentado a 180° C durante 8-10 minutos.
Retire las crepes de la bandeja con una espátula y dóblelas sobre el extremo de un rodillo de amasar para formar el cucurucho. Deje reposar 1 minuto antes de sacar del rodillo.
Para servir, rellene los cucuruchos con el helado de vainilla y deje en la nevera o sirva inmediatamente. Para 6-8 personas.

tartaletas de crema de limón

helado de cucurucho

ideas para menús

comida con los suegros para 4

ostras con ensalada de pepino
salmón asado con especias
cordero con corteza de aceitunas y ensalada de cuscús
pastel de chocolate y frambuesa

PREPARACIÓN DE LOS ALIMENTOS

Se trata de una ocasión muy comprometida, así que infórmese acerca de los gustos de sus invitados. Unas cuantas ostras con ensalada de pepino, que puede preparar de antemano y dejar en la nevera hasta que lleguen, acompañadas por una bebida adecuada, harán que todos se sientan cómodos. Después de las ostras sirva el salmón asado con especias y el cordero con ensalada de cuscús. Como postre, el pastel de chocolate y frambuesa es ideal, y además lo puede preparar el día anterior.

SUGERENCIAS PARA BEBIDAS

Celebre la llegada de sus invitados con un blanco espumoso seco, que también va bien con las ostras. El salmón lo puede acompañar con un *chardonnay* o *semillon* con ligero gusto a madera, y después pasar a un especiado *pinot noir* o un *cabernet sauvignon* de buen cuerpo. El pastel queda perfecto con un vasito de *riesling* y un café.

la cena del jefe para 6

ostras con ensalada de pepino
lasaña crujiente de pato
chuletas de cordero al romero y puré con aceite de trufa
tartaletas de crema de limón

PREPARACIÓN DE LOS ALIMENTOS

Es una ocasión especial, pero procure evitar un exceso de ostentación. Lo mejor es la sencillez y la elegancia. Empiece con unas cuantas ostras con ensalada de pepino, que puede preparar el día anterior y dejar en la nevera hasta que las necesite, y después pase a la lasaña de pato (x 1½). El plato principal serán las chuletas de cordero (x 1½), que deberá acompañar con un cuenco de espinacas tiernas al vapor aliñadas con un chorrito de limón y un poco de pimienta negra y queso parmesano. Prepare las chuletas y las patatas de antemano y cueza cuando sea el momento. Termine la cena con las tartaletas, que puede preparar por la mañana, un buen café y unas trufas de chocolate.

SUGERENCIAS PARA BEBIDAS

Recuerde que no debe beber demasiado (no queda bien arrastrar las palabras o comportarse ruidosamente delante del jefe). Junto con las ostras, sirva un blanco espumoso seco para celebrar la llegada de sus invitados. La lasaña de pato queda estupenda con un tinto espumoso o un buen *pinot noir*. El cordero al romero tiene un sabor fuerte, así que lo mejor es un *cabernet sauvignon* o un *shiraz* añejos. Las tartaletas de crema de limón tienen un punto ácido y es mejor acompañarlas de un vino no demasiado dulce, como un *semillon* de la última cosecha. Sirva el café en el salón y no olvide acompañarlo con unas trufas y un poco de vino de Oporto.

invitación formal para 8

galettes de patata con huevos de codorniz
colas de cigala a la parrilla con *risotto* **de limón**
y cebollinos
pollo asado con tomates y berenjenas
helado de cucurucho

PREPARACIÓN DE LOS ALIMENTOS

Calcule bien si dispone de suficientes recursos para invitar a 8 personas a una cena formal. Como entrante, las *galettes* de patata con los huevos de codorniz (x 2) quedan impresionantes. Siga con pequeñas raciones de cigala a la parrilla con el *risotto* de limón y cebollinos y, como plato principal, sirva el pollo asado con tomates y berenjenas. El helado de cucurucho, que puede preparar con antelación y guardar en la nevera, no solamente queda gracioso, sino que resulta muy sencillo de preparar.

SUGERENCIAS PARA BEBIDAS

Sirva un blanco espumoso seco cuando lleguen los invitados, seguido de un *semillon* añejo con las *galettes* de patata. Continúe con un *sauvignon* blanco para el *risotto* y un *chardonnay* añejo, con ligero sabor a madera, o un *pinot noir* para el pollo. Sirva el helado con un licor de Tokay; con el café puede ofrecer coñac o un vino de Oporto.

tés

elementos básicos

El té es un arbusto de hoja perenne que crece en zonas montañosas subtropicales y tropicales. Existen miles de tipos de té y la diferencia consiste en la zona donde se cultiva, cómo se recolecta y en el proceso de preparación.

té negro

Este tipo de té ha fermentado por completo y tiene un color negro. Entre las variedades de té negro están las de Darjeeling, Assam, Ceilán y Keemun. Cuando se prepara un té negro el agua adquiere un color ámbar oscuro. Durante el proceso de preparación algunos de ellos son ahumados para darles más sabor.

oolong

El té de *oolong* está parcialmente fermentado y es un cruce entre el té verde y el negro. Tiene unas hojas grandes, de un marrón rojizo, con puntas plateadas. Es aromático y deja un característico sabor dulce en el paladar.

té verde

El té verde lo utilizan los chinos y los japoneses desde hace siglos. El té verde es el que no está fermentado; se prepara secando al sol las hojas tiernas y después pasándolas por el fuego en un *wok* especial o ligeramente al vapor. La vaporización de las hojas hace que desaparezca el sabor amargo del té. Las hojas deben tener un color verde claro y un delicado sabor. Algunas variedades de té verde son el *gunpowder*, *lung chin*, *sencha* y *gen mai cha*.

té blanco

El té blanco es una variedad poco conocida que se encuentra en China y sus hojas no han fermentado. Se utiliza para ocasiones especiales, ya que es bastante caro. Las puntas plateadas generalmente quedan erguidas cuando se prepara. Sólo se necesitan unas pocas hojas para preparar una taza de té.

tés o infusiones de hierbas

No se trata realmente de un té, sino de una infusión a base de hierbas que cada vez es más popular. Pueden utilizarse tés fermentados mezclados con los frutos, flores, hojas, raíces o tallos de plantas secas, o simplemente una combinación de varias hierbas. Estas infusiones se preparan de la misma manera que un té normal y a veces se emplean como remedios naturales. Entre las infusiones más populares están la de citronela, manzanilla, menta y frambuesa.

té *oolong*

té verde

té blanco o lágrimas de Buda

té o infusión de hierbas

té negro

magdalenas de chocolate

pastelito de frambuesa y coco

té helado con menta, limón y jengibre/*wontons* de plátano y azúcar de palma

tartaletas de limón y lima confitados

magdalenas de chocolate

300 g de chocolate negro picado
300 g de mantequilla
5 huevos
½ taza de azúcar
¾ de taza de harina con levadura, tamizada

Ponga el chocolate y la mantequilla en una cacerola
a fuego lento y remueva hasta que esté suave; reserve.
Ponga los huevos y el azúcar en un cuenco y bata hasta
que esté ligero y espumoso (unos 6 minutos). Mezcle con la
harina y la pasta de chocolate. Vierta la mezcla en 12 moldes
para magdalenas forrados o bien engrasados y hornee
en el horno precalentado a 160° C durante 25 minutos
o hasta que las magdalenas estén firmes al tacto. Sirva
calientes espolvoreadas con cacao de buena calidad.
Para 12 unidades.
Nota: también puede prepararlo en forma de pastel en un
molde redondo de 23 cm, con la base forrada o engrasada.
Hornee a 160° C durante 45 minutos o hasta que el pastel
esté firme al tacto.

pastelitos de frambuesa y coco

125 g de mantequilla sin sal
¼ de taza de almendras molidas
¾ de taza de coco rallado
1 ⅔ tazas de azúcar glas tamizado
½ taza de harina tamizada
½ cucharadita de levadura en polvo
5 claras de huevo
⅔ de taza de frambuesas, frescas o congeladas

Ponga la mantequilla en una cacerola a fuego suave y deje
hasta que tenga un color dorado pálido. Mezcle bien en un
cuenco las almendras molidas, el coco, el azúcar glas, la
harina y la levadura en polvo. Incorpore las claras de huevo
y mezcle. Añada la mantequilla derretida al cuenco y siga
removiendo hasta que esté todo bien mezclado.
Vierta la pasta en moldes pequeños para *brioche* o
tartaletas, engrasados. Ponga unas cuantas frambuesas
por encima. Precaliente el horno a 180° C y hornee unos
12-15 minutos o hasta que los pastelitos estén dorados,
esponjosos al tacto y jugosos en el centro. Sirva con nata
líquida espesa y un té de frutas. Para 10 unidades.

té helado con menta, limón y jengibre

4 cucharadas de hojas de té a la menta
8-10 rodajas de jengibre
½ taza de hojas de menta
⅔ de taza de azúcar
6 tazas de agua
1 taza de zumo de limón
rodajas de jengibre y hojas de menta extra

Ponga el té, el jengibre, la menta y el azúcar en un bol.
Lleve el agua a ebullición en una cacerola. Vierta el agua
hirviendo encima de la mezcla y deje en infusión durante
8 minutos, después cuele. Mezcle el zumo de limón con
el té y deje en la nevera unas 2 horas o hasta que esté bien
frío. Vierta el té en una jarra enfriada previamente y añada
las rodajas de jengibre y las hojas de menta extra. Sirva
en vasos con hielo. Para 6 tazas.
Nota: este té es un estupendo depurativo y reconstituyente.

wontons de plátano y azúcar de palma

2 plátanos cortados en rodajas gruesas
2 cucharadas de zumo de lima
½ taza de azúcar de palma grueso
20 láminas para *wonton*
1 cucharada de harina de maíz (almidón)
2 cucharadas de agua
aceite para freír
azúcar glas y canela

Pinte los plátanos ligeramente con el zumo de lima y
rebócelos con el azúcar de palma. Ponga un trozo de
plátano en una mitad de las láminas de *wonton.* Unte los
bordes con la harina de maíz desleída en agua, doble las
láminas y presione los bordes para cerrar.
Caliente aceite en una sartén. Fría los *wontons* durante
1-2 minutos por cada lado o hasta que estén dorados.
Deje escurrir sobre papel absorbente. Cuando estén lo
suficientemente fríos como para poderlos tocar, páselos por
el azúcar glas y la canela para que queden bien recubiertos.
Sirva calientes con un té. Para 20 unidades.

té de lima y frambuesa y té helado con nectarina y albahaca

tartaletas de limón y lima confitados

unos 350 g de pasta quebrada dulce*
relleno
2 huevos ligeramente batidos
²/₃ **de taza de zumo de limón**
¹/₃ **de taza de zumo de lima**
1 taza de azúcar de lustre
2 tazas de nata líquida
aderezo
2 tazas de azúcar
1 taza de agua
2 limones en rodajas
3 limas en rodajas

Extienda la pasta sobre una superficie ligeramente enharinada hasta que tenga 3 mm de grosor. Corte en 8 círculos para que encajen en moldes para tartaletas de 10 cm de diámetro y un poco hondos. Pinche la pasta con un tenedor y forre con papel antiadherente. Cubra con arroz crudo o pesos para hornear y deje en el horno precalentado a 200° C unos 5 minutos. Retire los pesos o el arroz y el papel y vuelva a colocar unos 5 minutos en el horno hasta que la pasta esté dorada.
Para el adorno, ponga el azúcar y el agua en una cacerola grande a fuego suave y remueva hasta que se haya disuelto el azúcar. Deje a fuego lento durante 1 minuto. Incorpore las rodajas de lima y de limón a la cacerola en una sola capa. Cueza a fuego muy suave durante 20 minutos o hasta que la cáscara esté tierna. No hierva. Ponga las rodajas sobre papel de hornear antiadherente y deje que se enfríen y cuajen.
Para el relleno, mezcle los huevos con el zumo de lima y de limón, el azúcar y la nata líquida. Vierta la mezcla en los moldes y hornee a 160° C durante 10 minutos o hasta que empiece a cuajar. Remate las tartaletas con rodajas de lima y limón confitados y vuelva a poner en el horno. Deje unos 10 minutos más o hasta que el relleno haya cuajado.
Para 8 unidades.

té de lima y frambuesa

5 cucharadas de hojas de té de frambuesa
4 ¹/₂ tazas de agua hirviendo
¹/₂ **taza de azúcar**
¹/₃ **de taza de zumo de lima**
1 cucharada de piel de lima cortada en tiras finas
¹/₂ **taza de frambuesas**

Ponga el té en el agua y deje en infusión durante 5 minutos. Cuele y mezcle con el azúcar, el zumo y la piel de lima. Antes de servir añada las frambuesas al té y sirva en vasos con hielo picado. Para 4 tazas.

té helado con nectarina y albahaca

2 cucharadas de hojas de té de Darjeeling
1 taza de hojas de albahaca
2 cucharadas de hojas de menta
¹/₂ **taza de azúcar**
5 tazas de agua
4 nectarinas grandes, trituradas y coladas

Ponga el té, la albahaca, la menta y el azúcar en un cuenco. Hierva el agua en una cacerola. Vierta el agua hirviendo por encima de la mezcla y deje unos 6-7 minutos; cuele. Mezcle con el puré de nectarina y deje unas 2 horas en la nevera o hasta que el té esté bien frío. Vierta en una jarra con rodajas de nectarina y hojas de albahaca extra y sirva en vaso alto con hielo. Para 6 personas.

tartaletas de *ricotta*, espinaca y parmesano

500 g de *ricotta* fresco
¹/₃ **de taza de crema agria**
1 huevo ligeramente batido
pimienta negra triturada
una pizca de nuez moscada recién rallada
500 g de hojas de espinaca tiernas
¹/₂ **taza de queso parmesano rallado fino**
¹/₄ **de taza de piñones tostados y picados**
1 cucharada de eneldo picado

Ponga el *ricotta* en la batidora y bata hasta que esté suave. Mezcle en un cuenco con la crema agria, el huevo, la pimienta y la nuez moscada. Escalde las hojas de espinaca en agua hirviendo durante 5 segundos, después escurra y pique. Estruje para eliminar el exceso de líquido. Mezcle la espinaca, el parmesano, los piñones y el eneldo con la pasta de *ricotta*. Ponga cucharadas de mezcla en moldes hondos para tartaletas, engrasados, y hornee a 160° C durante 25-30 minutos o hasta que estén firmes y doradas. Para 12 unidades.

tartaletas de *ricotta*, espinaca y parmesano

nal de regaliz

sorbete de manzana verde y té de vainilla

té invernal de regaliz

5 ½ tazas de agua
3 cucharadas de hojas de té de regaliz
1 cucharada de tiras de piel de naranja, con la parte blanca
3 cucharadas de hojas de menta
½ taza de zumo de naranja
1-2 cucharadas de miel

Hierva el agua en una cacerola. Retire del fuego y añada el té, la piel de naranja y las hojas de menta. Deje en infusión durante 5 minutos. Cuele el té y vuelva a poner en el cazo. Lleve a ebullición y agregue el zumo de naranja y la miel, al gusto. Sirva en vasos precalentados. Para 4 personas.

sorbete de manzana verde y té de vainilla

1 taza de agua hirviendo
3 cucharadas de hojas de té de vainilla
4 tazas de zumo natural de manzana verde
2 cucharaditas de ralladura fina de limón
1 taza de azúcar

Ponga el agua y el té en un cuenco y deje en infusión duante 5 minutos. Pase el té por un colador fino y ponga en una cacerola con 1 taza de zumo de manzana. Agregue la ralladura de limón y el azúcar y remueva a fuego suave hasta que se haya disuelto el azúcar. Añada el resto de zumo de manzana y deje en la nevera hasta que esté frío.
Ponga la mezcla en una heladora y siga las instrucciones del fabricante; el sorbete debe quedar bien helado. También puede poner la mezcla en un recipiente metálico y dejarlo 1 hora en el congelador; después debe remover y congelar durante otra hora. Remueva y repita la operación. Para 4-6 personas.

pastelitos con manzana y miel

1 cucharada de zumo de limón
4 cucharadas de azúcar moreno
2 cucharadas de mantequilla
3 manzanas verdes, peladas y cortadas en rodajas
pastel
185 g de mantequilla
⅔ de taza de azúcar
2 cucharadas de miel
1 cucharadita de extracto de vainilla
3 huevos
1 ½ tazas de harina tamizada
1 cucharadita de levadura en polvo

Ponga el zumo de limón, el azúcar y la mantequilla en una sartén a fuego vivo. Remueva hasta que se convierta en almíbar. Incorpore las manzanas a la sartén, en tandas, y deje 1 minuto por lado o hasta que estén ligeramente doradas y después reserve.
Para preparar el pastel, ponga la mantequilla, el azúcar y la miel en un cuenco y bata hasta que esté ligero y cremoso. Añada la vainilla y los huevos, uno cada vez, y bata bien. Mezcle con la harina y la levadura en polvo.
Ponga capas de manzana en la base de 8 moldes pequeños para pastel, rectangulares, de 10 x 5½ cm, bien engrasados o con la base forrada. Vierta la masa del pastel por encima hasta llegar a unos tres cuartos de la altura del molde. Hornee a 160º C durante 25 minutos o hasta que al probar con un pincho de cocina observe que están hechos. Desmolde invirtiendo sobre platos individuales y sirva calientes con nata líquida y una tetera de té caliente.
Para 8 unidades.

peritas con té

12 peras tipo *corella** o de cóctel
1 cucharada de hojas de té a la citronela*
3 cucharadas de azúcar
1 cucharada de hojas de menta
2 tazas de agua hirviendo
2 cucharaditas de zumo de limón

Pele las peras y reserve. Ponga el té de citronela, el azúcar, la menta y el agua en una jarra, deje en infusión durante 4 minutos y cuélelo. Pase el té a una cacerola y caliéntelo hasta que hierva. Incorpore las peras al té caliente y deje a fuego suave durante 8-10 minutos o hasta que estén blandas. Sirva calientes o frías en unos cuencos con el té. Para 4-6 personas.

peritas con té

pastelitos con manzana y miel

ideas para menús

té estival en el jardín para 10

pastelitos de frambuesa y coco
magdalenas de chocolate
pastelitos con manzana y miel
tartaletas de *ricotta*, espinaca y parmesano
té helado con nectarina y albahaca

PREPARACIÓN DE LOS ALIMENTOS
Una variada selección de pastelitos y bocaditos permite que los invitados puedan ir picando toda la tarde. Puede preparar los pastelitos de frambuesa y coco y las magdalenas de chocolate el día anterior y guardarlos en recipientes herméticos. Para dar un toque salado, sirva las tartaletas de *ricotta*, espinaca y parmesano, que puede preparar sin ningún tipo de problema con un día de antelación y guardar en la nevera hasta el momento de servirlas.

SUGERENCIAS PARA BEBIDAS
Sirva un té de frutas bien frío, como el de nectarina y albahaca, así como una variada selección de tés e infusiones de hierbas. Es más fácil que cada invitado escoja el tipo que desee y se prepare su propio té, de manera que tenga a mano diversos termos con agua caliente y los utensilios necesarios. Si sirve tés frutales helados o infusiones de hierbas calientes, un vino blanco espumoso suele combinar bien.

té para 2

***wontons* de plátano y azúcar de palma**
té invernal de regaliz

PREPARACIÓN DE LOS ALIMENTOS
Un té íntimo para 2 en una tarde fría es ideal si se acompaña de unos *wontons* de plátano y azúcar de palma. Elija el té invernal de regaliz. Prepare y fría los *wontons* poco antes de servir.

SUGERENCIAS PARA BEBIDAS
Sirva el té con unos chupitos de *ouzo* o *pastis*.

té de fiesta para 20

peritas con té
tartaletas de limón y lima confitados
magdalenas de chocolate
tartaletas de *ricotta*, espinaca y parmesano

PREPARACIÓN DE LOS ALIMENTOS
Prepare una mesa grande donde los invitados se puedan servir ellos mismos. Un gran cuenco lleno de peritas con té (x 2) y unas bandejas con tartaletas de limón y lima confitados (x 2), magdalenas de chocolate (x 2) y tartaletas de *ricotta*, espinaca y parmesano (x 2) llenarán agradablemente la mesa. Todas estas recetas las puede preparar el día anterior y guardarlas en recipientes herméticos en la nevera.

SUGERENCIAS PARA BEBIDAS
Sirva uno o dos tés helados diferentes y una selección de tés calientes, además de un vino blanco espumoso y un *riesling* fresco y ligeramente afrutado o un *semillon* añejo.

té de la tarde para 6

peritas con té/pastelitos de frambuesa y coco
sorbete de manzana verde y té de vainilla/pastelitos de manzana y miel
té de lima y frambuesa

PREPARACIÓN DE LOS ALIMENTOS
Si es un cálido día de verano, puede servir las peritas con té y el sorbete de manzana verde y té de vainilla; puede preparar ambas cosas el día anterior. Si el día es más fresco, pruebe los pastelitos de frambuesa y coco calientes o los pastelitos de manzana y miel.

SUGERENCIAS PARA BEBIDAS
Si el día es caluroso, sirva el té de lima y frambuesa (asegúrese de que el té de frambuesa es de buena calidad). Si hace un poco de fresco, sirva tés calientes como el de limón y jengibre o un té negro ligeramente ahumado.

glosario

arroz arborio

Toma su nombre de un pueblo de la región piamontesa de Italia y es un tipo de arroz que se utiliza para preparar el *risotto*. Al cocerse suelta un poco de almidón y con ello se obtiene un plato de arroz cremoso de gran sabor. Otras variedades que también se usan para el *risotto* son el arroz *violone* y *carnaroli*.

arroz gelatinoso

Se utiliza básicamente para dulces y se prepara con granos gruesos y opacos de arroz blanco, negro, de grano corto o largo. Los granos se vuelven pegajosos y dulces cuando se cuecen. Deje el arroz en remojo toda la noche si va a prepararlo al vapor o sin remojar si lo cuece mediante el sistema de absorción. Lo encontrará en tiendas de alimentación orientales.

arroz para sushi

1 ½ tazas de arroz de grano corto
2 tazas de agua
1 trozo de 5 cm de *kombu*
  (alga seca gigante)
⅓ de taza de vinagre de arroz
2 cucharaditas de azúcar
sal

Ponga el arroz en un escurridor y enjuague bien bajo el grifo de agua fría. Coloque en una cacerola con el agua y ponga el *kombu* encima del arroz. Tape y deje cocer a fuego medio. Retire el *kombu* cuando hierva el agua. Siga cociendo el arroz, cubierto, y hierva durante 2 minutos. Baje el fuego y deje otros 15 minutos o hasta que se haya absorbido todo el líquido. Coloque el arroz en un cuenco de vidrio o cerámica y remueva con una cuchara o pala de madera para que se enfríe un poco. Deslía la sal y el azúcar en el vinagre. Mientras remueve el arroz, añada la mezcla de vinagre. Siga removiendo hasta que se haya enfriado del todo. Tape con un paño húmedo hasta que lo necesite. Para 1 receta.
Nota: cuando cueza el arroz, compruebe que la tapa encaja bien en la cacerola.

brotes de alcaparra

La flor del arbusto de las alcaparras se convierte en un brote o fruto oval lleno de diminutas semillas. Los brotes de alcaparra se venden con los tallos tiernos, en vinagre o salmuera. Los puede encontrar en las tiendas de *delicatessen*.

caldo dashi

4 tazas de agua fría
1 trozo de 5 cm de *kombu*
  (alga seca gigante)
3 cucharadas de migas de bonito seco*

Ponga el agua y el *kombu* en una cacerola y caliente hasta que rompa el hervor; en este momento, retire el alga. Si el agua hierve con el *kombu* dentro, el caldo desprenderá mal olor. Antes de extraer el *kombu*, asegúrese de que está blando, lo cual indica que ha desprendido todo su sabor. Ponga las migas de bonito en la cacerola y lleve a ebullición. Tan pronto como rompa a hervir, retire la cacerola del fuego y deje reposar 5 minutos antes de colar el caldo. El *dashi* está listo para utilizarlo según indique la receta.

caldo de buey

1 ½ kg de huesos de buey cortados
  en trozos
2 cebollas cortadas en cuartos
2 zanahorias cortadas en cuartos
2 tallos de apio cortados en trozos
  grandes
surtido de hierbas frescas
2 hojas de laurel
10 granos de pimienta negra
4 litros de agua

Ponga los huesos en una fuente y deje en el horno precalentado a 200° C durante 30 minutos. Agregue las cebollas y las zanahorias a la fuente y hornee otros 20 minutos. Retire todos estos ingredientes y póngalos en una olla o cacerola grande. Retire la grasa de la superficie de la fuente y después añada 2 tazas de agua hirviendo para que salga todo el jugo de la fuente. Vierta este jugo en la cacerola. Añada el apio, las hierbas, las hojas de laurel, los granos de pimienta y el agua y lleve a ebullición. Deje a fuego lento 4-5 horas o hasta que el caldo tenga un buen sabor. Mientras se cuece vaya retirando la espuma de la superficie. Cuele el caldo y utilícelo según las indicaciones de la receta. Puede guardarlo en la nevera 3 días o congelar hasta 3 meses.
Para 2½-3 litros de caldo.

caldo de pescado

1 cucharada de mantequilla
1 cebolla finamente picada
750 g de espinas de pescado picadas
1 taza de vino blanco
1 litro de agua
10 granos de pimienta negra
3-4 manojos de hierbas
  de sabor suave
1 hoja de laurel

Ponga la mantequilla y la cebolla en una cacerola grande a fuego suave y deje cocer durante 10 minutos o hasta que la cebolla esté blanda pero no dorada. Agregue las espinas de pescado, el vino, el agua, los granos de pimienta, las hierbas y la hoja de laurel y deje a fuego suave unos

20 minutos. Retire la espuma de la superficie mientras se cuece; después cuele y deje enfriar. Utilice el caldo según indique la receta. Puede guardar el caldo 2 días en la nevera o congelarlo hasta 2 meses.
Para 3-3½ tazas.
Nota: no deje cocer el caldo más de 20 minutos o tendrá mal sabor.

caldo de pollo

1 ½ kg de huesos de pollo cortados en trozos
2 cebollas cortadas en cuartos
2 zanahorias cortadas en cuartos
2 tallos de apio cortados en trozos grandes
surtido de hierbas frescas
2 hojas de laurel
10 granos de pimienta negra
4 litros de agua

Ponga todos los ingredientes en una olla o cacerola grande y deje a fuego lento 3-4 horas o hasta que el caldo tenga buen sabor. Retire la grasa de la superficie durante el tiempo de cocción. Cuele el caldo y utilice según indica la receta. Guarde el caldo en la nevera hasta 3 días o bien congele hasta 3 meses.
Para 2½-3 litros.

caldo de verduras

4 litros de agua
1 chirivía
2 cebollas cortadas en cuartos
1 diente de ajo pelado
2 zanahorias cortadas en cuartos
300 g de col picada gruesa
3 tallos de apio cortados en trozos grandes
un manojo pequeño de hierbas variadas
2 hojas de laurel
1 cucharada de granos de pimienta

Ponga todos los ingredientes en una olla o cacerola grande y deje a fuego lento unas 2 horas o hasta que el caldo haya adquirido un buen sabor. Retire la espuma de la superficie durante la cocción. Cuele el caldo y utilícelo según indique la receta. Puede guardarlo hasta 4 días en la nevera o congelarlo hasta 8 meses.
Para 2½-3 litros.

cerdo a la barbacoa al estilo chino

Carne de cerdo cocida, especiada y preparada a la barbacoa según el estilo tradicional chino. Lo encontrará en tiendas especializadas en alimentación china.

citronela

Hierba alta con sabor a limón que se utiliza en la cocina asiática, sobre todo en Tailandia. Pele las hojas exteriores y utilice la parte tierna cercana a la raíz.

cuenco no reactivo

Un cuenco de cerámica o vidrio que se utiliza para cocer alimentos ácidos o cuando hay una gran concentración de vinagre.

fermentación

Proceso en el que una masa o mezcla de levadura se deja cubierta en un lugar caliente y protegido para que suba o fermente.

fideos soba al té verde

Una especialidad del norte del Japón. Estos fideos finos se elaboran con harina de trigo y se les da sabor con té verde. Los encontrará fácilmente en tiendas de alimentación japonesa y china.

fideos udon

Fideos de trigo japoneses, de color blanco, que se pueden comprar frescos (en la sección de refrigerados) o secos. Existen de varios grosores y longitudes. Los encontrará en supermercados japoneses o asiáticos.

framboise

Es un *brandy* con sabor de frambuesa.

frasco esterilizado

Antes de guardar los alimentos en frascos herméticos, es necesario esterilizarlos. Para ello, lávelos bien en agua caliente, colóquelos en una bandeja y déjelos en el horno precalentado a 100° C durante 30 minutos. Una vez acabado este proceso, ya puede utilizarlos.

galangal

Tiene un aspecto similar al jengibre y un tono rosado; se puede adquirir fresco o en rodajas y embotellado en salmuera.

granos de pimienta de Szechwan

En realidad no se trata de granos de pimienta, sino de unas bayas pequeñas y secas, de color marrón rojizo, procedentes de la región china de Szechwan. Tienen un aroma y un sabor muy característicos. Tuéstelas o caliéntelas antes de machacarlas. Las encontrará fácilmente en tiendas de alimentación asiática.

haloumi

Es un queso blanco, firme y salado, elaborado con leche de oveja. Tiene una textura fibrosa y normalmente se vende en salmuera. Lo encontrará en tiendas de *delicatessen* y algunos supermercados.

hierro de quemar

Se trata de un círculo grueso y pesado de acero provisto de un mango largo. Se coloca sobre un fogón de gas o eléctrico hasta que está muy caliente y después, con un movimiento rápido, se coloca sobre el azúcar espolvoreado de una crema para que forme una corteza de azúcar caramelizado. El hierro de quemar carameliza el azúcar muy rápidamente y evita que la crema se queme. Puede encontrarlo en tiendas de utensilios de cocina. Si no lo encuentra, obtendrá el mismo resultado con un soplete pequeño que puede comprar en la ferretería.

hojas de betel

Se suelen llamar hojas de *betel* silvestre o *cha plu*. Las hojas se venden en manojos. Retire las hojas de los tallos y deje en remojo en agua fría antes de utilizarlas como envoltura para pequeños bocados de comida o cortadas en tiras para las ensaladas. Las encontrará en establecimientos de alimentación oriental.

lima kafir

Las fragantes hojas se machacan o cortan en tiras y se utilizan para cocinar, y las limas se usan por su zumo y su cáscara, principalmente en la cocina tailandesa. Tanto las limas (frescas) como las hojas (que se venden en paquetes, frescas o secas) se pueden encontrar en tiendas de ultramarinos asiáticos.

mascarpone

Un queso fresco italiano muy cremoso, con una consistencia similar a la nata líquida espesa. Lo encontrará en las tiendas de *delicatessen* y en algunos supermercados.

migas de bonito

Son virutas finas cortadas de un filete seco de bonito. Parecen virutas de madera de color rosado y se utilizan para hacer *dashi**, un caldo que se utiliza mucho en la cocina japonesa. Las encontrará en supermercados japoneses o asiáticos.

miso

Es una pasta espesa hecha a base de brotes de soja fermentados y procesados. El miso rojo es una mezcla de cebada y brotes de soja, y el amarillo es una mezcla de arroz y brotes de soja.

moldes dariole

Pequeños moldes metálicos cilíndricos, con los lados ligeramente inclinados, que se utilizan para hacer pudines y para dejar cuajar la *mousse*.

nori

Son unas láminas delgadas de algas secas y por lo general tostadas. El *nori* se utiliza para envolver el *sushi* y también se añade a las sopas japonesas. Si compra *nori* sin tostar, tueste las láminas a fuego bajo durante 3 segundos por cada lado antes de utilizarlas. Las encontrará en paquetes o láminas en los supermercados asiáticos.

pasta de hojaldre dulce

2 tazas de harina
2 cucharadas de azúcar de lustre
60 g de mantequilla
150 ml de agua
125 g de mantequilla extra, picada

Ponga la harina, el azúcar y la mantequilla en una picadora y bata hasta formar una masa de migas suaves. Con el motor en marcha, añada el agua y bata hasta que esté suave. Extienda la masa sobre una superficie ligeramente enharinada hasta que tenga 45 cm de largo y 2 cm de grosor. Ablande la mantequilla extra pero no deje que se derrita. Extiéndala sobre dos tercios de la masa. Coja la parte que no lleva mantequilla y doble encima de un tercio de la pasta. Doble una vez más para que la mantequilla quede dentro. Presione los bordes para sellar. Cubra y deje 15 minutos en la nevera antes de trabajarla con el rodillo. Para 1 receta.

pasta quebrada

2 tazas de harina
155 g de mantequilla picada
agua helada

Ponga la harina y la mantequilla en una picadora y bata hasta que se forme una masa de migas suaves. Añada suficiente agua helada para formar una pasta suave. Retire de la picadora y trabaje ligeramente. Envuelva en plástico de cocina y deje en la nevera durante 30 minutos antes de extenderla con el rodillo, para evitar que se encoja durante la cocción. Suficiente para 1 receta.

pasta quebrada dulce

2 tazas de harina
3 cucharadas de azúcar de lustre
155 g de mantequilla picada
agua helada

Ponga la harina, el azúcar y la mantequilla en una picadora y bata hasta formar una masa de migas suaves. Añada suficiente agua helada para obtener una masa suave. Retire de la picadora y trabaje ligeramente. Envuelva en plástico de cocina y deje unos 30 minutos en la nevera antes de extenderla con el rodillo para evitar que se encoja durante la cocción. Para 1 receta.

pato a la barbacoa al estilo chino

Es un pato cocido con especias y preparado a la barbacoa según el estilo tradicional chino. Lo encontrará en establecimientos de alimentación china.

peras tipo corella

También se conocen como peras de cóctel. Estas pequeñas peras dulces son estupendas para comer naturales o escalfadas.

perifollo

Es una hierba delicada con aspecto de encaje, que tiene un sabor anisado dulce y delicado. Su intensidad disminuye una vez picado, así que añádalo a la comida justo antes de servirla.

redondeles de papel de arroz

Círculos finos y transparentes hechos con una pasta de arroz y agua. Antes de utilizarlos, píntelos o sumérjalos en agua hasta que estén blandos. Los encontrará en establecimientos asiáticos.

salsa hoi sin

Salsa china de sabor dulce y de gran densidad, hecha con brotes de soja fermentada, azúcar, sal y arroz rojo. Utilícela como salsa para mojar o para glaseados. La encontrará en tiendas de alimentación asiática.

semillas de sésamo negro

Pertenecen a la misma familia que las semillas de sésamo blanco y

tabla de conversión

1 taza de aceitunas verdes, de tamaño medio y con hueso = 175 g
1 taza de almendras enteras = 155 g
1 taza de arándanos variados, picados = 220 g
1 taza de arroz arborio crudo = 220 g
1 taza de azúcar moreno = 220 g
1 taza de azúcar lustre = 250 g
1 taza de coco rallado = 90 g
1 taza de crema agria = 250 g
1 taza de crema de coco = 250 g
1 taza de cuscús = 185 g
1 taza de frambuesas enteras = 125 g
1 taza de harina integral = 150 g
1 taza de harina normal con levadura = 125 g
1 taza de hojas de albahaca enteras, apretadas = 50 g
1 taza de hojas de cilantro enteras = 30 g
1 taza de hojas de espinaca tierna = 60 g
1 taza de hojas de ruqueta picadas gruesas = 45 g
1 taza de miel = 350 g
1 taza de perejil de hoja plana entero = 20 g
1 taza de polenta = 150 g
1 taza de queso parmesano rallado fino = 100 g
1 taza de yogur natural = 250 g

constituyen un buen sustituto de éstas.

setas shiitake

Originalmente procedentes del Japón y Corea, estas setas tienen un característico sabor a madera y su textura recuerda a la carne. Tienen un sombrero de color marrón con la parte inferior más clara. Las encontrará en fruterías y verdulerías especializadas.

tahini

Pasta espesa y suave hecha con semillas de sésamo ligeramente tostadas y molidas. La encontrará envasada en los supermercados.

vainas de vainilla

Vainas fermentadas y secas de una orquídea originaria de México.

Son largas y de color oscuro; las vainas de buena calidad son flexibles y aromáticas. Las encontrará en establecimientos especializados y en algunos supermercados.

wasabi

Raíz nudosa de color verde de la planta japonesa *wasabia japonica*. El *wasabi* produce la misma sensación de calor o picor en la nariz que el rábano picante y se utiliza con el *sushi* y el *sashimi*. Lo encontrará en forma de pasta o en polvo en tiendas de alimentación asiática.

índice